Antoine de Saint-Exupéry   *Der kleine Prinz*

ta'puq mach

Ein

in Farbe und Bunt

1. Auflage 2018
Originalausgabe | © 2018
in Farbe und Bunt Verlags-UG (haftungsbeschränkt)
Kruppstraße 82 - 100 | 45145 Essen
www.ifub-verlag.de

Titel des französischen Originals
LE PETIT PRINCE
© 1946 by Editions Gallimard Paris
Mit Original-Zeichnungen des Autors Antoine de Saint-Exupéry

Übersetzt ins Klingonische durch Lieven L. Litaer © 2018

Herausgeber: Mike Hillenbrand
verantwortlicher Redakteur: Björn Sülter

Print-Ausgabe gedruckt von:
Printing House Multiprint ltd., 10A Slavyanska Str.,
BG-2230 Kostinbrod

Vorwort

Diese klingonische Übersetzung des weltbekannten Werkes *Der kleine Prinz* von Antoine de Saint-Exupéry wird von einer Übersetzung ins Deutsche begleitet. Hierbei ist eine Klarstellung für alle Germanisten erforderlich, denn diese Übersetzung erscheint stellenweise sicher etwas erzwungen und holprig.

Das kommt daher, dass es eine wörtliche Rück-Übersetzung aus dem Klingonischen ist, was dafür bekannt ist, sehr kurz und direkt zu sein. So fehlen sehr häufig Synonyme für einen Begriff, den man im Deutschen vielfach umschreiben kann, um damit eine poetische, literarisch ansprechende Formulierung zu erzeugen. Dies entfällt im Klingonischen komplett, weswegen eine Rück-Übersetzung oft recht fad oder einfallslos wirkt. So kann man zum Beispiel das Wort **'IH** mit »schön« übersetzen, aber es kann auch *hübsch, ansehnlich, attraktiv, gutaussehend* usw. bedeuten. Gleichzeitig verwendet die klingonische Grammatik häufig Umschreibungen, die man im Deutschen niemals verwenden würde. So kann durch die wörtliche Übersetzung ein simpler Ausdruck wie »als ich sechs war« aus dem Klingonischen wörtlich mit »während meines sechsten Jahres« übersetzt werden.

Im selben Atemzug müssen wir uns aber auch bei den Experten und Schülern der klingonischen Sprache entschuldigen, denn die Rück-Übersetzungen sind nicht immer wirklich Wort für Wort, denn das würde den Lesefluss erheblich stören. So ist der Text ein gutes Mittelmaß aus sinngemäßer Übersetzung aus dem Klingonischen und einem dennoch halbwegs normal klingenden deutschen Text. Sonst hätten Sätze wie z. B. »Blume, welche ein undefiniertes Subjekt nicht sieht« – anstelle von »unsichtbare Blume« – den deutschen Text dermaßen zerschossen, dass er kaum noch verständlich gewesen wäre und dabei auch den Lernfluss stark gestört hätte. Dies wurde bewusst vermieden, denn das Werk soll sowohl für Schüler des Klingonischen als auch für alle anderen Leser geeignet sein.

– Lieven L. Litaer
Klingonischlehrer

Léon Werth quvmoHjaj paqvam.

nenwI' quvmoH paq 'e' vIwIvmo' puqpu'vaD jItlhIj. wIvwIj vIQIjlaHchu': jupwI'na' ghaH nenwI'vam'e'. jupvam matlh law' Hoch matlh puS. latlh meq vIghaj: Hoch yajlaH nenwI'vam. puqpaq yajlaHqu' je. meq wejDIch vIghaj: vIraS Dab nenwI'vam. pa' ghung 'ej bIr, vaj loQ vItungHa'nISba'. yapbe'chugh meqwIj, vaj puq'e' ghaHpu'bogh nenwI'vam quvmoHjaj paqvam. puqpu' chaHpu' Hoch nenwI'pu'e' ('ach pIjHa' ngoDvam luqaw) vaj vanwIj vIchoH:

LÉON WERTHvaD
loDHom ghaHtaHvIS

4

Möge dieses Buch Léon Werth ehren.

Ich entschuldige mich bei den Kindern dafür, dass ich einen Erwachsenen ehre. Ich kann das gut erklären: Dieser Erwachsene ist ein echter Freund. Dieser Freund ist loyaler als jeder andere. Ich habe noch einen anderen Grund: Dieser Erwachsene kann alles verstehen, auch ein Kinderbuch. Ich habe noch einen dritten Grund: Dieser Erwachsene wohnt in Frankreich. Dort hat er Hunger und ihm ist kalt, deswegen muss ich ihn etwas ermutigen. Falls meine Gründe nicht ausreichen, dann widme ich dieses Buch eben dem Kind, welches dieser Erwachsene einmal war. Alle Erwachsenen waren mal Kinder (aber sie erinnern sich selten daran). Deswegen ändere ich meinen Gruß:

Für LÉON WERTH,
während er noch ein Kind war.

qaStaHvIS DISwIj javDIch »lutmey teH« ponglu'bogh 'ej ngem qelbogh paqDaq mIllogh Dun vItu'. tangqa' Sopbogh ghargh'a' cha' 'oH. naDev mIllogh vIcha'.

paqvamDaq wIja'lu': »gheDDaj luSopDI' ghargh'a', chopbe'. gheD naQ ghup. ghIq vIHlaHbe' 'ej rIDmeH qaStaHvIS jav jar Qong.«

ngugh ngem tuHmey vIbuSchu'pu', 'ej mIlloghwIj wa'DIch vIchenmoH. mIlloghvam rur:

nenwI'pu'vaD mIlloghwIj vIcha'DI' jItlhob »boghIjlu''a'?«

I

Als ich sechs war, fand ich ein tolles Bild in einem Buch mit dem Titel »Wahre Geschichten.« Es zeigt eine Schlange, die einen Stier gefressen hat. Ich zeige euch hier die Zeichnung.

In diesem Buch wurde gesagt: »Wenn die Riesenschlange ihre Beute frisst, dann beißt sie nicht. Sie verschluckt ihre Beute am Stück. Danach bewegt sie sich nicht mehr und schläft für sechs Monate, um zu verdauen.«

Zu dem Zeitpunkt hatte ich mich den Wald-Manövern gewidmet und hatte meine erste Zeichnung erstellt. Sie sah so aus:

Als ich die Zeichnung den Erwachsenen zeigte, fragte ich, ob sie sie erschrecken würde.

jang chaH: »qatlh nughIjlaH mIv?« 'ach mIv vIcha' 'e'
vIHechbe'. 'e'levan rIDbogh ghargh'a' vIcha'ta' vIneH. ghIq
nenwI'vaD vIQIjchu'meH ghargh'a' qoD vIwev reH chaH
luchuHnISlu'. mIlloghwIj cha'DIch vIcha':

muqeS nenwI'pu'. ghargh'a' poS, ghargh'a' SoQ je vIcha'
'e' vImev 'e' luchup chaH. yuQQeD, qunQeD, mI'QeD, pab
je vIbuSnISba'. vaj WevwI'na' quv vIgheSHa' jav ben puq
jIHDI'. cha'logh vIvonlu'mo' vItunglu'. not nIteb vay' yajchoH
nenwI'pu''e', 'ej puqpu'vaD Qatlhqu' reH QIjqa'meH Qu'.

vaj latlh Qu' vISamnISmo' 'orwI' vImoj. tIngvo' 'evDaq chanDaq
jIlengpu'. jIHvaD lI'qu'pu' yuQQeD. HuD beQ yoS, veng wa'DIch
Sep je vIngu'meH wa'logh jIbejnIS neH. QaQqu' De'vam,
qaStaHvIS ram DaqlIj DaSovbe'chugh.

qaStaHvIS yInwIj Saghbogh ghot law'qu' vIqIHpu'.
nenwI'pu' law' vItlhejmo' chaH vIbejchu'meH 'eb vIjonchu'pu'.
chaH bopbogh vuDwIj SIghbejpu' wanI'vetlh, 'ej chaH
vIHo'chu'be'choH.

vallaw'chugh loD'e' vIqIHbogh, vaj ghaHvaD mIlloghwIj
wa'DIch vI'ang 'e' vInID. reH wepwIj buqDaq 'oH vIpoltaH.
ghotvetlh yab laH vI'olta' vIneH. 'ach reH janglu': »mIv 'oH.«
vaj maja'chuqtaHvIS ghargh'a', ngem, Hov je vIqelbe'. yabDaj
laH vIrur 'e' vInIDchoH, 'ej majatlhtaHvIS, 'echletHom Qujmey,
nuHmey, veS, mong Ha'quj je DIbuS. 'ej yonqu' ghotvam nen, loD
Sagh qIHlaw'pu'mo' ghaH.

Sie antworteten: »Warum sollte uns ein Hut erschrecken?« Es war aber nicht meine Absicht gewesen, einen Hut zu zeichnen. Ich wollte eine Riesenschlange zeichnen, die einen Elefanten verdaut. Danach zeichnete ich das Innere der Riesenschlange, um es den Erwachsenen zu erklären. Man muss ihnen immer alles erklären. Hier zeige ich euch meine zweite Zeichnung:

Die Erwachsenen gaben mir einen Rat. Es wurde mir empfohlen, ich solle aufhören, offene oder geschlossene Riesenschlangen zu zeichnen. Stattdessen solle ich lieber Erdkunde, Geschichte, Rechnen und Grammatik lernen. Also gab ich den Beruf des Künstlers auf, als ich sechs Jahre alt war. Da ich zwei Mal versagt hatte, war ich entmutigt. Die Erwachsenen verstehen nie etwas von alleine und es ist für Kinder irgendwann zu anstrengend, ihnen immer alles zu erklären.

Da ich eine andere Aufgabe suchen musste, wurde ich Pilot. Ich bin durch die ganze Welt gereist. Für mich war Erdkunde sehr nützlich geworden. Ich musste nur einmal hinschauen, um den Distrikt der flachen Berge oder die Erste Stadt zu erkennen. Dies ist sehr wichtig, falls man mal im Dunkeln nicht mehr weiß, wo man sich befindet.

Während meines Lebens habe ich sehr viele ernste Menschen getroffen. Da ich oft mit Erwachsenen unterwegs gewesen war, hatte ich die Gelegenheit genutzt, sie zu beobachten. Das hat sicherlich meine Meinung über sie beeinflusst und seitdem bewundere ich sie auch nicht mehr so sehr.

Falls ich jemandem begegnete, der scheinbar schlau war, dann zeigte ich ihm meine erste Zeichnung. Ich bewahrte sie immer in meiner Jackentasche auf. Damit wollte ich die Fähigkeiten der Person testen. Aber immer bekam ich die Antwort: »Das ist ein Hut.« Also hörte ich auf, über Riesenschlangen, Wälder und Sterne zu sprechen. Ich versuchte, mich dem Verstand meines Gegenüber anzupassen und so sprachen wir über Kartenspiele, Waffen, Krieg und Krawatten. Und diese erwachsene Person war damit scheinbar zufrieden, da er offenbar glaubte, einen ernsten Mann getroffen zu haben.

vaj nIteb jIratlh. mutlhej pagh jatlhwI'. 'ach jav ben
Duy'choHlaw'mo' QuQwIj, SaHa'ra' DebDaq jISaqHa'DI' choH
ghu'. mutlhejbe'mo' jonwI' raQpo' joq, nIteb QuQ vItI'nIS
jIH'e'. Qatlhqu' Qu' 'ej HeghmoH ghu': DorDI' wa' Hogh Dorbej
tlhutlhmeH bIQwIj.

DorDI' jaj wa'DIch DebDaq jIQongchoHpu'. Hopqu' veng Sum.
wa'SanID qelI'qam 'aD chuq. jIH mob law', bIQ'a' SaqHa'wI'
mob puS. ngoDvammo' jIyay'qu' 'e' DayajlaHbej, jaj veb po
muvemmoHDI' taQbogh ghogh mach:

»HIbelmoH ... jIHvaD DI'raq yIwev!«

»nuqjatlh?«

»jIHvaD DI'raq yIwev ...«

nom jIQamchoHqu'; 'oy'naQ vIHotlaw'. mInDu'wIj vISay'moH
'ej jIbejchu'. pa' taQbogh loDHom mach vIlegh. mubejtaHvIS Sagh
mInDu'Daj. naDev ghaH cha'bogh mIllogh vIchenmoHta'bogh
vIcha'. 'ach loDHom 'IH law' mIlloghvam 'IH puS net Harbej.

pIch vIghajbe'. qaStaHvIS DISwIj javDIch, WevwI' Qu'wIj
luQaw'pu' nenwI'pu'. ngugh cha' Doch neH vIwevlaH: poSbogh
ghargh'a'mey, SoQbogh ghargh'a'mey je.

vaj nIyma'vam vIbejtaHvIS tInchoH mInDu'wIj. ghu'wIj
yIlIjQo': naDev Hopqu' veng Sum. 'ach mISbe'law' loDHomwI'
mach. 'ej Doy'qu'be'law' ghaH, ghungbe', 'ojbe', 'ej pagh
Hajlaw'. Deb HopDaq SaqHa'bogh puq rurbe'qu' ghaH.
jIjatlhchoHqu'laHDI', jIjatlh:

»'ach ... naDev nuq DaDIgh?«

ghIq ghelqa' ghaH, ghogh tun lo'taHvIS, 'ej Saghqu'law' Doch
neHbogh:

»HIbelmoH ... jIHvaD DI'raq yIwev!«

II

Also blieb ich alleine. Keiner war zum Sprechen da. Aber die Situation änderte sich, als ich vor sechs Jahren wegen eines Motorschadens in der Sahara notlanden musste. Da mich weder ein Passagier noch ein Mechaniker begleitete, musste ich selbst den Motor reparieren. Die Aufgabe war schwierig und die Situation tödlich: Nach einer Woche würde mein Trinkwasser zur Neige gehen.

Am Ende des ersten Tages war ich eingeschlafen. Die nächste Stadt war sehr weit weg. Die Entfernung betrug eintausend Kellicam. Ich war scheinbar einsamer als jemand, der im Ozean abgestürzt ist. Deswegen könnt ihr sicher verstehen, dass ich sehr erstaunt war, als mich am nächsten Morgen eine seltsame kleine Stimme weckte:

»Bitte ... zeichne mir ein Schaf!«

»Wie bitte?«

»Zeichne mir ein Schaf ...«

Ich stand schnell auf, als wäre ich vom Schmerzstock getroffen. Ich machte meine Augen sauber und schaute genauer hin. Dort sah ich ein kleines seltsames Männchen. Es schaute mich mit ernsten Augen an. Hier zeige ich eine Zeichnung, die ich von ihm gemacht hatte. Aber das Männchen sieht bestimmt besser aus als auf meiner Zeichnung.

Es war nicht meine Schuld. Als ich sechs war, hatten mir die Erwachsenen meine Karriere als Künstler zerstört. Damals konnte ich nur zwei Sachen zeichnen: geschlossene Riesenschlangen und offene Riesenschlangen.

Meine Augen wurden größer, während ich diese Erscheinung beobachtete. Vergesst meine Situation nicht: Die nächste Stadt war sehr weit weg. Aber mein kleines Männchen schien nicht verwirrt. Und es schien weder hungrig noch durstig und schien nichts zu fürchten. Er schien nicht wie ein mitten in der weiten Wüste abgestürztes Kind. Als ich wieder sprechen konnte, sagte ich:

»Aber ... Was machst du denn hier?«

Dann fragte er mich noch mal mit seiner zarten Stimme ganz ernsthaft nach dem, was er wollte:

»Bitte ... zeichne mir ein Schaf!«

pegh Doj law'chugh Hoch Doj puSchugh, vaj 'omrupbe' vay'.
chaq Doghlaw' wanI' – jIHDaq Hopqu'mo' tayqeq 'ej yInwIj
buQtaHmo' Hegh - 'ach buqwIjvo' navHom ghItlhwI' je vItlhap.
ghIq Dochmey vIHaDta'bogh vIqawchoH. yuQQeD, qunQeD,
mI'QeD, HolQeD je vIHaDta', 'ach jIwev not 'e' vIghoj. loQ
jI'IQtaHvIS loDHomvaD jIQIj: jIwevlaHbe'. jang ghaH:

»qay'be' ... jIHvaD DI'raq yIwev!«

not DI'raq vIwevmo', wa' Doch vIwevlaHbogh vIwev.

SoQbogh ghargh'a' cha' 'oH. 'ej mumerchu' loDHom, jatlhDI' ghaH:

12

Wenn das Geheimnis so beeindruckend ist, kann wohl niemand widerstehen. Vielleicht scheint das Ereignis albern - die Zivilisation ist sehr weit weg und mein Leben wird vom Tod bedroht –, aber ich nahm aus meiner Tasche ein Blatt und einen Stift. Dann erinnerte ich mich an die Sachen, die ich studiert hatte. Ich hatte Geografie, Geschichte, Mathematik, und Linguistik studiert, aber ich hatte nie gelernt, zu zeichnen. Während ich etwas traurig war, erklärte ich dem Männchen: »Ich kann nicht zeichnen.« Es antwortete:

»Das macht nichts ... Zeichne mir ein Schaf!«

Weil ich noch nie ein Schaf gezeichnet hatte, zeichnete ich das Einzige, was ich konnte.

Es zeigte eine geschlossene Riesenschlange. Und das kleine Männchen überraschte mich umso mehr, als es sagte:

»Qo', Qo'! 'e'levan Soppu'bogh ghargh'a' vIneHbe'. Qobqu' ghargh'a' 'ej tInqu' 'e'levan. mach juHwIj. DI'raq vIpoQ. jIHvaD DI'raq yIwev.«

vaj jIwev.

mubejchu' loDHom. ghIq jatlh:

»Qo'! ropqu'ba' DI'raqvam. latlh yIwev.«

jIwev.

loQ mon jupwI'. QIt jatlh:

»yIbejqu' jay' ... DI'raq motlh 'oHbe', DI'raq loD 'oH, pu'Du' ghaj 'oH ...«

vaj mIlloghwIj vIwevqa'. 'ach mIlloghvam chu' lajHa' je:

»tlhoy qan DI'raqvam. yIn nI' ghajbogh DI'raq'e' vIneH.«

DaH jIboHchoH. QuQwIj vItI'meH poH vIHutlhchoHmo', vaj nom loDHomvaD mIllogh moH vIwev 'ej jIQIj, ghogh QeH vIlo'taHvIS:

»DerlIqvam yItlhap. qoDDajDaq DI'raq DaneHbogh Datu'.«

'ej mumerqa' wanI', bochchoHbogh noHwI'wI' qab vIleghDI':

»Ha'DIbaH vIneHbogh rurqu' DI'raqvam. pup 'oH. magh law' poQ 'e' DaQub'a'?«

»qatlh?«

»machqu'mo' juHwIj ...«

»yapbej. machqu' je DI'raq qanobta'bogh.«

mIllogh DungDaq nachDaj vIHmoH:

»juHwIj mach rurbe' ... 'ach yIqIm! QongchoHpu' ...«

vaj ta'puq mach vIqIH.

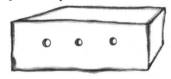

14

»Nein, nein. Ich will keine Riesenschlange, die einen Elefanten gegessen hat. Eine Riesenschlange ist sehr gefährlich und der Elefant ist sehr groß. Mein Zuhause ist sehr klein. Ich brauche ein Schaf. Zeichne mir ein Schaf.«

Also zeichnete ich.

Das Männchen beobachtete mich sehr genau. Dann sagte es:

»Nein! Dieses Schaf ist sehr krank. Zeichne ein anderes.«

Ich zeichnete.

Mein Freund lächelte ein wenig. Langsam sagte er:

»Schau doch mal genau hin, verdammt ... Das ist kein Schaf, das ist ein Widder. Es hat Hörner ...«

Also zeichnete ich nochmal. Aber die zweite Zeichnung lehnte er auch ab:

»Dieses Schaf ist zu alt. Ich will ein Schaf, das noch lange lebt.«

Jetzt wurde ich ungeduldig. Da ich nicht mehr viel Zeit hatte, um meinen Motor zu reparieren, zeichnete ich dem Männchen schnell eine hässliche Zeichnung und erklärte mit einer bösen Stimme:

»Nimm diese Kiste. Da drin steckt das Schaf, welches du willst.«

Und mich überraschte das Ereignis, als ich das Gesicht meines Prüfers sah:

»Dieses Schaf ähnelt dem Tier, das ich wollte. Es ist perfekt. Denkst du, dass es viel Gras braucht?«

»Warum?«

»Mein Zuhause ist sehr klein ...«

»Das reicht bestimmt. Das Schaf, das ich dir gegeben hatte, ist auch sehr klein.«

Er bewegte seinen Kopf über das Bild.

»Es ähnelt nicht meinem kleinen Zuhause ... Aber pass auf! Es ist eingeschlafen ...«

So hatte ich den kleinen Prinzen getroffen.

ta'puq mach mung vIyajmeH poH law' vIpoQ. ghelqu'taHvIS ta'puq mach, jIHvaD jang neHbe'law' ghaH. rut ngoDHommey 'angmo' ghaH, peghDaj vIleghchoHlI'. wa'DIch DujwIj leghDI' ta'puq mach (DujwIj vIwevQo', jIHvaD tlhoy Qatlh 'oH wevmeH Qu') ghel ghaH:

»nuq 'oH Dochvam'e'?« »Doch 'oHbe'. puv 'oH. muD Duj 'oH.«
'orwI' jIH jIjatlhlaHmo' jIHemqu'. ghIq jach:

»nuqjatlh? chalvo' bIpum'a'?«

»HIja'«, QIt jIjang.

»toH! tlhaQqu' wanI' ...«

pay' Haghqu'choHmo' ta'puq mach, muberghmoHqu' ghaH. jIQeHchoH. wanI' Sagh 'oH SaqHa'ghachwIj'e' net legh vIneH. 'ach ruchtaH ghaH:

»vaj chalvo' bIpaw je SoH'e'! yuQ DaDabbogh yIngu'!«

ghIq mungDaj pegh vIyajchoH, 'ej nom jIghelqu':

»vaj latlh yuQ DaDab'a'?«

'ach jangbe' ghaH.

ghobe' jatlhmeH nachDaj tav neH, DujwIj bejqu'taHvIS:

»Dochvetlh Dalo'taHvIS bIlenglaHchu'qu'be' net Sov ...«

ngugh najchoH ghaH. naj. najtaH. ghIq buqDajvo' DI'raqwIj tlhap 'ej 'oH bejchoH.

»latlh yuQmey« qelmo' ghaH jISey net HarlaHbej. vaj latlh vIghojchoH 'e' vInID:

»nuq 'oH munglIj'e', loDHomoy? Daq DaDabbogh yIngu'! nuqDaq DI'raqlIj Daqem DaneH?«

QubtaHvIS tamlI', ghIq jang:

»QaQqu' jIHvaD DerlIq'e' Danobbogh. qaStaHvIS ram DI'raqvaD qach rurlaH 'oH.«

III

Ich brauchte viel Zeit, um die Herkunft des kleinen Prinzen zu verstehen. Während der kleine Prinz viele Fragen stellte, wollte er mir scheinbar nicht antworten. Da er manchmal kleine Fakten preisgab, konnte ich so langsam sein Geheimnis erkennen. Als der kleine Prinz zum ersten Mal mein Flugzeug sah (ich zeichne mein Flugzeug jetzt nicht, denn es ist für mich viel zu schwierig), fragte er:

»Was ist das für ein Ding?« »Das ist kein Ding. Es kann fliegen. Es ist ein Flugzeug.«

Ich war stolz, dass ich erzählen konnte, dass ich ein Pilot bin. Dann schrie er:

»Was? Du bist vom Himmel gefallen?«

»Ja«, sagte ich langsam.

»Ach! Das ist ja witzig ...«

Weil der kleine Prinz plötzlich anfing zu lachen, irritierte mich die Situation ein wenig. Ich wurde wütend. Ich wollte, dass man erkennt, dass mein Absturz eine ernste Situation ist. Aber er machte weiter:

»Also kommst auch du vom Himmel! Nenne mir den Planeten, den du bewohnst!«

Dann begann ich das Geheimnis seiner Herkunft zu begreifen und fragte ihn sehr schnell:

»Also wohnst du auf einem anderen Planeten?«

Aber er antwortete nicht.

Er schüttelte nur seinen Kopf, um Nein zu sagen, während er sich mein Flugzeug anschaute.

»Natürlich kann man mit diesem Ding nicht sehr weit reisen ...«

Dann begann er zu träumen. Erst ein wenig, dann mehr. Anschließend nahm er sein Schaf aus der Tasche und betrachtete es.

Weil er »andere Planeten« ansprach, war ich sehr aufgeregt, was man sicher glauben kann. Aber dann wollte ich etwas anderes erfahren:

»Wo kommst du her, kleiner Mann? Nenne mir den Ort, an dem du wohnst! Wohin willst du dein Schaf bringen?«

Schweigend dachte er nach, dann sagte er:

»Die Kiste, die du mir gabst, ist perfekt für mich. Es kann nachts als Haus für mein Schaf dienen.«

»bIlugh. 'ej bIlobchugh, SoHvaD tlhegh vInob vaj qaStaHvIS pem DI'raqlIj DabaghlaH. wIl qanob je.«

ta'puq mach yay'moHba' qeSvam:

»vIbagh 'e' Dachup'a'? Doghqu' qechvam!«

»'ach Dabaghbe'chugh vaj narghbej 'oH ...«

vaj DaH Haghqa'chu' jupwI':

»'ach nuqDaqvaD Haw'laH 'oH?«

»vogh. chaq pa' ...«

'ej jangtaHvIS ta'puq mach Saghqu' ghoghDaj:

»qay'be', machqu' juHwIj.«

'ej loQ 'IQtaHvIS chel ghaH:

»qaStaHvIS He tIq yItlaHbe' vay' ...«

»Du hast Recht. Und wenn du gehorchst, bringe ich dir ein Seil, damit du dein Schaf tagsüber festbinden kannst. Ich gebe dir auch einen Pflock.«

Dieser Vorschlag schien den kleinen Prinzen zu schockieren:

»Es festbinden? Diese Idee ist aber albern!«

»Aber wenn du es nicht festbindest, läuft es doch weg ...«

Und jetzt fing mein Freund an, richtig zu lachen:

»Aber wo sollte es denn hinlaufen?«

»Irgendwo. Vielleicht dorthin ...«

Und während der kleine Prinz antwortete, war seine Stimme sehr ernst:

»Kein Problem, mein Zuhause ist sehr klein.«

Und er fügte ein wenig traurig hinzu:

»Man kann nicht sehr weit gehen ...«

DaH De' potlhqu' cha'DIch vIghojchoHpu': vaS'a' tIn law' mungyuQDaj tIn puS.

'ach mumerbe' ngoDvam. yuQmey law'qu' tu'lu net Sov. yuQmey tIn DISov, bIHvaD tera', ju'pIter, ma'rIS, vIy'nuS je wIpongta'. 'ach latlhpu' leghmeH, roD yapbe' Hov tut, vaj machqu'bej bIH. wa' tu'chugh Hovtej, vaj 'oH perbe' ghaH, 'oH perbogh mI' neH nob. chaq 'oHvaD pong: ghopDap wej cha' vagh wa'.

ghopDap B 612 'oH ta'puq mach yuQ'e' 'e' vIHar, 'ej vuDwIj vIQIjlaHchu': wa'logh neH yuQvam leghlu': tera' DIS 1909 'oH bejta' turIqya' Hovtej.

ngugh, qaStaHvIS tera' Hovtej qep'a', tu'ta'ghachDaj bopbogh SoQ'a' jatlhpu'. 'ach De'Daj Harqangbe' Hoch 'IjwI'pu', SutDajmo'. rut jum nenwI'pu'.

wanI' vebmo' Do'qu' yuQ B 612: chut chu' ra' turIqya' HI. 'ewrop Sut tuQbe'chugh vay', vaj muHlu' ghaH. vaj tera' DIS 1920 SoQDaj jatlhqa' Hovtej, Sut 'IHqu' tuQtaHvIS. ngugh luHarchu' Hoch.

DaH tlhIHvaD chaq yuQ B 612 ngoDHommey, lutHommey je vIDeltaH. vabDot mI'Daj vI'angchugh, vaj nenwI'pu'mo' De'vetlh vI'ang. mI'mey parHa'qu' nenwI'pu'. chaHvaD jup chu' boDelchugh, vaj not potlhmey luSovqang. not ghel: nuq rur ghoghDaj? Qujmey tIvbogh tIngu'. Su'wan ghewmey boS 'e' tIv'a'? reH ghel nenwI'pu': ben 'ar boghpu'? loDnI' 'ar ghaj? cheb 'ar ngI'? Huch 'ar baj vavDaj? De'vetlh lughajchugh, vaj ghot luSov 'e' luHar.

IV

Jetzt hatte ich die zweite wichtige Information gelernt. Eine Halle ist größer als sein Ursprungsplanet.

Aber diese Tatsache überraschte mich nicht. Man weiß, dass es sehr viele Planeten gibt. Wir kennen große Planeten; wir nennen sie Erde, Jupiter, Mars und Venus. Aber um die anderen zu sehen, ist ein Fernglas häufig nicht ausreichend, also sind sie bestimmt sehr klein. Falls ein Astronom einen entdeckt, benennt er ihn nicht, sondern gibt ihm nur eine Nummer. Vielleicht benennt er ihn: Asteroid drei zwei fünf eins.

Ich glaube, der Planet des kleinen Prinzen war der Asteroid B 612 und ich kann meine Meinung gut erklären: Dieser Planet wurde nur einmal gesehen: Im Erdenjahr 1909 beobachtete ihn ein türkischer Astronom.

Damals hatte er während eines irdischen Astronomentreffens einen Vortrag über seine Entdeckung gehalten. Aber keiner der Zuhörer war willens, seinen Daten zu glauben, wegen seines Anzugs. Manchmal sind die Erwachsenen seltsam.

Das folgende Ereignis war für den Planeten B 612 ein Glücksfall: Der Diktator der Türkei befahl ein neues Gesetz. Falls jemand keine europäische Kleidung tragen würde, dann würde dieser hingerichtet. Also hielt der Astronom seinen Vortrag nochmals im Jahre 1920 und trug dabei einen schönen Anzug. Dann glaubten ihm alle.

Jetzt beschreibe ich euch kleine Details und Geschichten über den Planeten B 612. Falls ich euch sogar dessen Nummer zeige, dann zeige ich sie den Erwachsenen. Die Erwachsenen mögen solche Zahlen. Wenn ihr ihnen einen neuen Freund beschreibt, sind sie nicht bereit, die wichtigen Einzelheiten zu erfahren. Sie fragen nie: Wie hört sich seine Stimme an? Nenne mir die Spiele, die er mag. Sammelt er gerne Schmetterlinge? Die Erwachsenen fragen immer: Wann ist er geboren? Wie viele Brüder hat er? Wie groß ist er? Wie viel Geld verdient sein Vater? Sie glauben, dass sie die Person kennen, wenn sie diese Daten haben.

nenwI'pu'vaD Sujatlhchugh: 'IHbogh qach qanchu' vIleghpu'. bebDaj DoqDaq Qam bo'Deghmey law' 'ej Qorwaghmey tlhej 'InSongmey ... vaj yabDajDaq qachvam luleghlaHbe' nenwI'pu'. jatlhnISlu': qachvam DIlmeH wa'bIp DeQ poQlu'. ghIq jach Hoch: 'IHbej!

wanI'vetlh rur ta'puq mach DelmeH Qu'. teHtaHghachDaj DatobmeH Sujatlhchugh: QeHHa' ghaH 'ej roD mon ghaH. DI'raq neH ghaH, 'ej DI'raq neHchugh vay', vaj yInlu' 'e' toblu' – vaj Duvaq neH nenwI'pu', puqpu' boDalaw'mo'. 'a Sujatlhchugh: yuQ B 612 'oH mung yuQDaj'e', vaj nom lIHarchoH 'ej not lIyu'qa'. rut jum nenwIpu'. 'a chaHmo' QeHnISlu'be'. reH nenwI'pu'mo' yItlhHa'nIS puqpu'.

'ach yIn qolqoSna' wISovmo' maH, net Sov, mI'mey Doghmo' maHagh neH maH. lutvam vItaghmeH latlh mu'mey vI'lo'ta' vIneH. wIch bI'reS vIlo' 'e' vImaS:

»nuja' wIch ja'wI'pu': ben law' ta'puq mach tu'lu'. yuQ Dab ghaH. machqu' yuQ, rap ta'puq mach. jup poQ ghaH ...« mu'meyvam HarlaHchu' yIn yajchu'wI'pu' 'e' vIHonbe'.

ngeDlaw' paqwIj vIneHbe'. lutmeyvam vIqawbogh vIja'taHvIS jI'IQchu'. jav ben mejta' jupwI' DI'raqDaj je. naDev ghaH vIDel 'e' vInIDchugh, vaj ghaH vIqawmeH vIDel. jup lIjlu' vaj Do'Ha'. jup ghajbe' Hoch. 'ej chaq mI'mey neH parHa'bogh nenwI' vImojlaH. ngoDvammo' rItlh naQ, ghItlhwI' je vIje'ta'.

Wenn ihr zu den Erwachsenen sagt: Ich habe ein schönes altes Haus gesehen. Auf dessen rotem Dach stehen viele Vögel und die Fenster sind umrandet von Blumen ... dann können die Erwachsenen dieses Haus in ihrem Kopf nicht sehen. Man muss sagen: Um das Haus zu bauen, wurden hunderttausend Credits bezahlt. Dann rufen alle: Oh, wie schön!

So ähnlich ist es, wenn man versucht den kleinen Prinzen zu beschreiben. Um zu beweisen, dass er echt ist, muss man sagen: Er ist sehr freundlich und meistens lächelt er. Er will ein Schaf und wenn jemand ein Schaf will, dann ist bewiesen, dass er lebt. Dann werden dich die Erwachsenen nur auslachen, weil du dich wie ein Kind benimmst. Aber wenn du sagst: Seine Heimatwelt ist Planet B 612, dann glauben sie es sofort und fragen nicht weiter. Die Erwachsenen sind immer etwas seltsam. Aber darüber sollte man sich nicht aufregen. Kinder müssen mit den Erwachsenen immer etwas nachsichtig sein.

Aber, wie man weiß, weil wir den Kern des Lebens kennen, lachen wir nur über die albernen Zahlen. Um diese Geschichte zu beginnen, wollte ich eigentlich andere Wörter verwenden. Ich hätte gerne die Einleitung einer Legende begonnen:

»Die Legende sagt: Vor vielen Jahren gab es einen kleinen Prinzen. Er wohnte auf einem Planeten. Der Planet war sehr klein, so wie der kleine Prinz. Er brauchte einen Freund ...« Ich bezweifle nicht, dass jene, die das Leben richtig verstehen, diese Worte auch verstehen können.

Ich will nicht, dass mein Buch einfach erscheint. Ich fühle mich sehr traurig, wenn ich diese Geschichten erzähle. Vor sechs Jahren kamen mein Freund und sein Schaf zurück. Wenn ich versuche, ihn hier zu beschreiben, dann beschreibe ich ihn hier, um mich an ihn zu erinnern. Es ist immer schade, wenn man einen Freund verliert. Nicht jeder hat einen Freund. Und vielleicht werde ich zu einem Erwachsenen, der nur Zahlen mag. Aus diesem Grund habe ich einen Pinsel und einen Schreiber gekauft.

qaStaHvIS poH nI' jIwevbe'mo', 'ej jIqanmo' ngeDbe' wevqa'meH Qu'. cha' Dochmey neH vIwev 'e' vInID: ghargh'a' poS, ghargh'a' SoQ je. Dochmeyna' rurchu' mIlloghmey vIchenmoHbogh reH 'e' vInID net Sov. 'ach jIQap 'e' vIlay'laHchu'be'. Qap wa' mIllogh, 'ach rurchu'be' latlh. jIljuvtaHvIS roD jIQapHa' je: chaq tlhoy tIn ta'puq mach, chaq tlhoy mach ta'puq mach. 'ej QatlhtaH SutDaj vInguvmeH Qu'. vaj jInID neH 'ej jISaHchu'be'. latlh ngoDHommey potlhqu' vIqawHa'bej. 'ach 'oHmo' vIqeHHa'lu' 'e' vItlhob. not jIHvaD De'vetlh QIjta' jupwI'. ghaH vIrur 'e' Harba'. 'ach Do'Ha' DerlIq SoQ qoDDaq DI'raq vIleghlaHbe'. chaq loQ nenwI'pu' vIrur jIH. qaStaHvIS poH nI' jInenchoHlaw'.

vagh

Hoch jaj yuQ bopbogh De' chu' vIghoj, mejlu'meH, lenglu'meH De' bopbogh ngoDHommey'e' je vIghojchoH. QIt De'vetlh vIghovchoH, jIQubtaHvIS. qaStaHvIS jaj wej bewbeb lut 'IQ vIghoj. DI'raqmo' vIghoj je. tugh muyu' ta'puq mach. bIHvaD potlhba' Doch'e' ghelbogh:

»lavmey SoplaH DI'raqmey, qar'a'?«

»bIlugh. qarbej.«

»toH, vaj jIQuchqu'.«

luQuchmoH lav Sopbogh DI'raq'e' 'e' vIyajbe'. 'ach ghIq chel ta'puq mach:

»vaj bewbebmey Sop je?«

ta'puq machvaD jIQIjchu': lavmey bIHbe' bewbebmey'e'. Sormey tInqu' bIH. 'ej vabDot bIH tu'chugh 'e'levan ghom'a', wa' bewbeb luSoplaHbe' bIH.

'e'levan ghom'a' Qubmo' HaghchoH ta'puq mach.

Weil ich alt bin, ist die Aufgabe, wieder etwas zu zeichnen, nicht einfach, weil ich sehr lange nicht gezeichnet hatte. Ich hatte nur zwei Dinge versucht zu zeichnen: eine offene Riesenschlange und eine geschlossene Riesenschlange. Natürlich werde ich versuchen, dass meine Zeichnungen den echten Sachen sehr ähneln. Aber ich kann nicht versprechen, dass es klappt. Die eine Zeichnung funktioniert, aber die andere ähnelt nicht so richtig. Ich versage immer, wenn ich etwas messen muss: entweder ist der kleine Prinz zu groß oder der kleine Prinz ist zu klein. Und seinen Anzug zu färben ist auch immer sehr schwierig. Also versuche ich es nur, aber es ist mir nicht so wichtig. Ich werde mich sicher nicht an die anderen Einzelheiten erinnern. Aber ich bitte darum, dass man mir verzeiht. Mein Freund hat mir nie diese Einzelheiten erklärt. Er glaubte wohl, dass ich so sei wie er. Aber ich bin nicht fähig, ein Schaf im Innern einer geschlossenen Kiste zu sehen. Vielleicht bin ich doch wie die Erwachsenen. Ich bin in dieser langen Zeit wohl doch erwachsen geworden.

V

Jeden Tag lernte ich etwas Neues über den Planeten, ich lernte Details über die Anreise und die Abreise. Ich erkannte diese Informationen langsam, während ich darüber nachdachte. Während des dritten Tages lernte ich die traurige Geschichte des Affenbrotbaums. Ich lernte sie auch wegen des Schafs. Bald befragte mich der kleine Prinz. Für ihn waren die Sachen, die er fragte, offenbar wichtig:

»Schafe können auch Sträucher essen, richtig?«

»Du hast Recht. Das ist richtig.«

»Aha, dann bin ich glücklich.«

Warum ihn ein Strauch fressendes Schaf glücklich stimmte, verstand ich nicht. Aber dann fügte der kleine Prinz hinzu:

»Also essen sie auch Affenbrotbäume?«

Dann begann ich, es dem kleinen Prinzen zu erklären: Affenbrotbäume sind keine Sträucher. Sie sind große Bäume. Und sogar eine ganze Herde von Elefanten könnte sie nicht aufessen.

Als er an die Herde Elefanten dachte, fing der kleine Prinz zu lachen an.

»wa'DIch yorDaq, ghIq vebwI' yorDaq bIH lulannISlu' ...«
'ach ghIq valqu' jatlhtaHvIS:
»tInchoHpa' bewbebmey, mach bIH.«
»bIlughbej. 'ach qatlh bewbebmey mach Sop DI'raqlIj DaneH?«
jang: »qay'be'. tugh wIleghbej.« jatlhtaHvIS, wanI' motlhqu' rur
Doch'e' bopbogh ghaH. 'ej wanI' vIyajmeH yabwIj naQ vIpoQchu'.

yuQ motlh rurchu' ta'puq mach yuQ: naHmey QaQ tu'lu',
naHmey qab tu'lu' je. vaj QaQ naH QaQ raS'IS, 'ej qab naH
qab raS'IS, 'ach raS'IS leghlaHbe' vay'. reH yavDaq peghtaH
QongDaqDaj, 'ej maDo'chugh pay' Hu'rup wa'. ghIq porghDaj
wanmoH 'ej QIt julvaD wa' ghubDaj mach 'ang. lavvetlh
SoplaHchugh vay', pagh ro'Sa' 'oHchugh, vaj nenchoH 'oH net
chaw'laHbej. 'ach lav qab pong ghovlu'DI', vaj nom 'oH luHnISlu'
'ej Qaw'nISlu'chu'. ta'puq mach yuQDaq raS'ISmey qabchu'
lutu'lu'. bewbeb raS'ISmey bIH. yuQ ravDaq Dat bIH lutu'lu'.
bewbeb Qaw'meH 'eb Dajonbe'chugh, vaj not 'oH DaSanglaH. yuQ
naQ charghbej. yuQ yav jeqchu' 'oQqarDaj. 'ej tlhoy machchugh
yuQ, vaj 'oH jormoH 'oQqarmey.

»Man müsste sie erst auf den Einen und dann auf den Nächsten obendrauf stellen ...«

Aber dann war er sehr weise, als er sagte:

»Bevor die Affenbrotbäume groß werden, sind sie noch klein.«

»Das stimmt sehr wohl. Aber warum willst du, dass dein Schaf die Affenbrotbäume frisst?«

Er antwortete: »Das ist kein Problem, wir werden es sicher bald sehen.« Er sagte es so, als sei es ein ganz gewöhnliches Ereignis. Und ich brauchte meinen ganzen Verstand, um das Ereignis zu verstehen.

Der Planet des kleinen Prinzen ähnelte einem normalen Planeten: Es gab gute Pflanzen, es gab auch schlechte Pflanzen. Also war der Samen der guten Pflanze gut und der Samen der schlechten Pflanze schlecht. Aber man kann den Samen nicht sehen. Ihr Bett unter dem Boden verbleibt immer geheim und falls wir Glück haben, ist plötzlich einer bereit, aufzustehen. Dann streckt er seinen Körper und zeigt der Sonne seinen kleinen Spross. Wenn jemand diesen Trieb essen kann oder wenn es eine Rose ist, dann kann man sicherlich zulassen, dass dieser weiterwächst. Aber sobald der Name einer schlechten Pflanze erkannt wird, dann muss diese schnell herausgerissen und schnell zerstört werden. Auf dem Planeten des kleinen Prinzen gab es viele schlechte Samen. Es waren die Samen des Affenbrotbaums. Auf dem Boden des Planeten gab es sie überall. Wenn du nicht die Gelegenheit ergreifst, um einen Affenbrotbaum zu vernichten, dann wirst du ihn nie auslöschen. Er wird mit Sicherheit den ganzen Planeten erobern. Seine Wurzeln werden den Boden des Planeten durchstechen. Und falls der Planet zu klein ist, dann werden ihn die Wurzeln sprengen.

»pabnISlu'chu' neH«, ja' ta'puq mach »qaStaHvIS po
bISay'eghmoHta'DI', ghIq yuQ DaSay'nISqu'moH je. Hoch
jaj bIraD'eghnIS 'ej Hoch bewbeb SorHommey DaluHnISqu'.
bIqImnIS, rut ro'Sa' SorHommey rur bIH. Dalbej wanI', 'ach
ngeDqu' Qu'.«

'ej qaStaHvIS po, wa' jaj muja' ghaH: mIllogh 'IHqu'
vIchennISqu'moH, vaj juHwIjDaq 'oH yajchoH puqpu'. »tugh
lengDaj lutaghchugh«, jatlh ghaH, »vaj chaq chaHvaD lI'qu'
De'vetlh. Qu' lumlu'DI', vaj rut Do'Ha'be' wanI'. 'ach bewbebmey
qelDI' vay' 'ej lumchugh vay', vaj reH lot rur ghu'. ben law' yuQ'e'
Dabbogh buDwI' vISovchoH. wej lavmey tu'be' buDwI' ...«

»Man muss sich nur an die Regeln halten«, sagte der kleine Prinz. »Sobald du dich morgens gewaschen hast, musst du auf jeden Fall auch den Planeten reinigen. Du musst dich jeden Tag zwingen und alle Affenbrotbaum-Sprösslinge ausreißen. Du musst dabei aufpassen, denn sie ähneln häufig den Rosen-Sprösslingen. Das Ereignis ist sicherlich langweilig, aber die Aufgabe ist auch sehr einfach.«

Und während eines Morgens sagte er mir, ich solle unbedingt eine schöne Zeichnung erstellen, damit die Kinder es bei mir Zuhause verstehen würden. »Falls sie bald ihre Reise beginnen«, sagte er, »dann ist diese Information vielleicht nützlich für sie. Die Situation ist nicht immer ungünstig, falls eine Aufgabe verschoben wird. Aber wenn es um Affenbrotbäume geht und man diese Angelegenheit aufschiebt, dann endet es meist in einer Katastrophe. Vor einigen Jahren hatte ich einen Planeten kennen gelernt, auf dem ein Faulenzer lebte. Er hatte drei Sträucher übersehen ...«

ghIq yuQvam DeltaHvIS ta'puq mach, 'oH cha'bogh mIllogh vIwevta'. ghojmoHwI' vIDa vIneHbe'. 'ach Qob bewbeb net Sovbe'law'. 'ej Qobmo' Qob'e' bambogh ghopDap SuchwI'pu', vaj DaH wa'logh neH jItam 'e' vIbup 'ej jIjatlh: peqIm, puqpu'! bewbebmey tIbuS! juppu'wI' vIghuHmoHmeH mIlloghvam vIchenmoHta', peghbogh Qob'e' lIb vISovbe'bogh luSovbe'mo' chaH je. lI'qu'mo' 'ej potlhmo' paQDI'norgh vIchenmoHbogh, jIvumchu' 'e' vItIv. DaH chaq Sughel'egh: qatlh latlh ghojmoHchu'bogh mIlloghmey law' ngaSbe' paqvam? ngeDbej jangmeH Qu': jInIDbej, 'ach jIQapbe'ba'. bewbebmey vIwevtaHvIS mumoDmoHba' ghu' pav.

Während der kleine Prinz mir anschließend den Planeten beschrieb, erstellte ich eine Zeichnung, die ihn darstellte. Ich möchte nicht wie ein Lehrer erscheinen, aber dass Affenbrotbäume so gefährlich sind, ist offenbar nicht bekannt. Und da die Gefahr, der die Besucher eines Asteroiden entgegenstehen, so groß ist, bleibe ich jetzt ausnahmsweise nicht leise, sondern sage: Passt auf, Kinder! Achtet auf die Affenbrotbäume! Ich habe dieses Bild gezeichnet, um meine Freunde zu warnen, weil sie die drohende Gefahr, genau wie ich, nicht kennen. Ich habe Spaß daran, so schwer zu arbeiten, da die Lehre, die ich erstellt habe, sehr wichtig und nützlich ist. Jetzt fragt ihr euch vielleicht: Warum enthält dieses Buch nicht noch andere belehrende Bilder? Es ist einfach, darauf zu antworten: Ich habe es versucht, es ist mir aber offensichtlich nicht gelungen. Als ich die Affenbrotbäume zeichnete, war ich wohl durch die ungeduldige Situation gedrängt worden.

jav

'o, ta'puq mach, QIt 'IQbogh yInlIj mach vIyajchoHll'. qaStaHvIS poH nI' DuQuchmoHlaH tlhom chum neH. ngoDvam choghojmoHta' taghDI' jaj loS po, chojatlhDI':

»tlhom chum vIHo'. Ha', tlhom chum vIbej vIneH …«

»vaj maloSnIS …«

»nuqmo' loSnISlu'?«

»ngab jul 'e' wIloSnIS.«

wa'DIch, mISba' qablIj, 'ach pumDI' 'etlh, SoHmo' bIHaghqu' 'ej bIjatlh:

»reH yabwIjDaq juHwIjDaq jIHtaH 'e' vIQub!«

quSDaq bIba'. qaSDI' 'amerI'qa' SepjIjQa' DungluQ, vIraSDaq qaS tlhom chum net Sov. vaj pa' 'oH bejlu'meH, qaStaHvIS wa' tup lengnISlu'. Do'Ha' Hopqu' vIraS. 'ach machqu'mo' yuQlIj, yapbej loQ quS DavIHmeH Qu'. vaj 'oplogh tlhom DabejlaH … »'op ben qaStaHvIS wa' jaj loSmaH wejlogh tlhom chum vIleghpu'!«

qaSDI' lup puS, bIchelta':

»bIqawbej: 'IQchugh vay', vaj reH 'IHqu' tlhom chum …«

VI

Oh, kleiner Prinz, so langsam beginne ich, dein trauriges kleines Leben zu verstehen. Während einer langen Zeit konnte dich nur der Sonnenuntergang glücklich machen. Diese Sache lehrtest du mich am Morgen des vierten Tages, als du mir sagtest:

»Ich bewundere Sonnenuntergänge. Komm, ich möchte mir den Sonnenuntergang anschauen ...«

»Dann müssen wir warten ...«

»Weswegen müssen wir warten?«

»Wir müssen warten, dass die Sonne untergeht.«

Zuerst war dein Gesicht verwirrt, aber in dem Moment lachtest du über dich selbst und sagtest:

»Ich denke immer in meinen Gedanken, ich sei noch bei mir Zuhause!«

Das ist doch offensichtlich. Man weiß, dass, wenn in den Vereinigten Staaten Mittag ist, in Frankreich die Sonne untergeht. Um dort also den Sonnenuntergang zu beobachten, müsste man in einer Minute nach Frankreich reisen. Leider ist Frankreich sehr weit weg. Aber da dein Planet so klein ist, reicht es, wenn du einen Stuhl ein wenig verschiebst. So kannst du die Dämmerung mehrmals sehen ... »Vor einigen Jahren habe ich an einem Tag den Sonnenuntergang dreiundvierzigmal gesehen!«

Nach wenigen Sekunden fügtest du hinzu:

»Du erinnerst dich sicher: Falls jemand traurig ist, dann ist ein Sonnenuntergang immer schön ...«

»vaj qaStaHvIS wa' jaj loSmaH wejlogh Dabejpu'DI',
bI'IQchu'pu''a'?« 'ach DaH jangbe' ta'puq mach.

Soch

jaj vaghDIch ta'puq mach yIn pegh vItu'meH muboQqa' DI'raq'e'.
nom mugheltaHvIS, lumbe' ghaH. qaStaHvIS nI'bogh poH tam,
ghIq baQchu'bogh naH'e' rur mu'meyDaj:

»lavmey Sopchugh DI'raq, vaj 'InSongmey Sop je, qar'a'?«

»Hoch'e' leghbogh Sop DI'raq.«

»DuQwI'mey ghajbogh 'InSongmey Sop'a' je?«

»HIja', DuQwI'mey ghajbogh 'InSongmey Sop je.«

»vaj qatlh DuQwI'mey ghaj?«

vISovbe'. QuQwIjDaq Hut'In vIl tInqu' vIQeyHa'moH 'e' vInID.
Do'Ha'ba'mo' ghu'wIj vaj rejmorgh vIDachoHpu'. 'arghchoHtaH
ghu' 'e' vIpIH, tlhutlhmeH bIQwIj Hoch natlhlu'lI'mo'.

»chay' lI' DuQwI'mey?«

not ghel 'e' bup ta'puq mach, wa'logh ghelta'DI'.

yabwIj Danmo' Hut'In vIl vIQeyHa'moHtaHbogh, jIjangtaHvIS
jISaHchu'be' 'ej nom jIjang neH:

»lI'be' DuQwI'mey. bIH ghaj 'InSongmey qejmo' neH
'InSongmey!«

»toH!«

DaH tam ghaH. 'ach ghIq QeHlaw' ghaH, 'ej jachchoH:

»qaHarlaHbe' jay'! pujqu' 'InSongmey. wunqu' bIH. reH
Qan'egh 'e' nID. 'ej DuQwI'mey ghajmo', vaj Qob 'e' Har
'InSongmey ...«

jIjangbe', 'ej jIQubchoH: Hut'Invam vIQeyHa'moHlaHbe'chugh,
vaj mupwI' vIlo'nISba'.

34

»Wenn du ihn an jenem Tag dreiundvierzigmal gesehen hattest, warst du dann sehr traurig?« Aber jetzt antwortete der kleine Prinz nicht.

VII

Am fünften Tag half mir wieder das Schaf dabei, ein weiteres Geheimnis des kleinen Prinzen zu entdecken. Während einer langen Zeit war er leise, dann kamen seine Worte, die einer sehr reifen Frucht ähnelten. Er zögerte nicht, als er mich schnell fragte:

»Falls das Schaf Sträucher frisst, dann frisst es wohl auch Blumen, richtig?«

»Das Schaf frisst alles, was es sehen kann.«

»Frisst es auch Blumen, die Dornen haben?«

»Ja, es frisst auch Blumen, die Dornen haben.«

»Warum haben sie dann Dornen?«

Ich wusste es nicht. Ich versuchte an meinem Motor eine sehr große Schraube zu lösen. Weil meine Situation sehr unglücklich erschien, war ich sehr pessimistisch geworden. Ich erwartete, dass die Situation schlimmer wurde, da mein Trinkwasser fast aufgebraucht war.

»Wie sind die Dornen nützlich?«

Der kleine Prinz hörte nie auf zu fragen, wenn er mal etwas gefragt hatte. Weil mein Verstand von der großen Schraube, die ich lösen wollte, besetzt war, war es mir egal, was ich antwortete und ich antwortete einfach nur schnell:

»Die Dornen sind nicht nützlich. Die Blumen haben sie nur, weil die Blumen gemein sind!«

»Ah!«

Jetzt war er leise. Aber dann wurde er wütend und begann zu schreien:

»Ich glaube dir nicht! Die Blumen sind sehr schwach. Sie sind verwundbar. Sie versuchen immer, sich selbst zu schützen. Und weil sie Dornen haben, glauben die Blumen, dass sie gefährlich sind ...«

Ich antwortete nicht und dachte: Wenn ich diese Schraube nicht lösen kann, muss ich wohl den Hammer benutzen.

yabwIj nISqa' ta'puq mach:

»DaHarbej'a'? DuQHommey ...«

»ghobe'! ghobe' jay'! pagh vIHar. Doch Dogh neH vIja'pu'.
HIqIm jay': Qu'wIj potlh law', DochlIj potlh puS!«

mubejtaHvIS mISba'.

»potlh law'!«

mubejtaH. QuQ HuHmo' qIjbogh
ghopwIjDaq mupwI' vI'uchtaHvIS, 'ej Doch
tInDaq jIvumtaHvIS. moHqu' Dochvetlh 'e'
Harba' ghaH.

»bIjatlhtaHvIS nenwI'pu' Darur!«

loQ mutuHmoH. 'ej cheltaHvIS Doch:

»Hoch DayajHa', Hoch DamISmoH!«

DaH QeHba' ghaH. SuSHommo' joq jIbDaj.

»yuQ'e' Dabbogh loD Doqqu' vISov. not
'InSong largh ghaH. not Hov bej ghaH. not
ghot naD ghaH. reH cheltaH neH. qaStaHvIS
jaj naQ Durur jatlhtaHvIS: loD Sagh jIH. loD
Sagh jIH. ngoDvammo' DoqchoH nachDach.
'ach loD ghaHbe'. 'atlhqam ghaH.«

»nuq ghaH?«

»'atlhqam ghaH!«

DaH QeHchu'mo' ta'puq mach,
chISqu' qabDaj.

Der kleine Prinz unterbrach meine Gedanken wieder:

»Glaubst du das wirklich? Die Dornen ...«

»Nein! Nein, verdammt! Ich glaube nichts. Ich habe nur alberne Sachen erzählt. Hör mir gut zu: Meine Aufgabe ist wichtiger als deine Sache!«

Er schaute mich verwirrt an.

»Wichtiger!«

Er schaute mich weiter an. Ich hielt einen Hammer in meinen ölverschmierten schwarzen Händen und arbeitete an einem großen Stück. Er glaubte sicherlich, dass dieses Stück sehr hässlich sein musste.

»Wenn du sprichst, ähnelst du den Erwachsenen!«

Er brachte mich ein wenig zum Schämen. Und sehr unhöflich fügte er hinzu:

»Du missverstehst alles, du vermischst alles!«

Jetzt war er offensichtlich wütend. Seine Haare flatterten im Wind.

»Ich kenne einen Planeten, auf dem ein sehr roter Mann wohnt. Er hat nie an einer Blume gerochen. Er hat nie einen Stern angeschaut. Er hat niemals jemanden gelobt. Er fügt nur hinzu. Während des ganzen Tags ähnelt er dir und sagt: Ich bin ein ernster Mann. Ich bin ein ernster Mann. Deswegen wird sein Kopf so rot. Aber er ist kein Mann. Er ist ein Pilz.«

»Was ist er?«

»Er ist ein Pilz!«

Das Gesicht des kleinen Prinzen wurde jetzt sehr weiß, weil er richtig wütend war.

»qaStaHvIS 'uy' DIS DuQwI' ghaj 'InSongmey. 'ej qaStaHvIS 'uy' DIS 'InSongmey Sop DI'raqmey. vaj Saghbe"a' loD, lI'be'bogh DuQwI' ghajmeH meq'e' yaj neHchugh ghaH? potlhbe"a' 'InSongmey DI'raqmey je noH? Doqbogh chelwI' ror potlh law' may'vam potlh'a' puS? wa' 'InSong vISovchugh, 'ej 'u' naQDaq pagh rurchugh 'InSongvam, yuQHomwIjDaq neH 'InSongvam tu'lu'chugh, 'ej paw'chugh ta'meyDaj Sovbe'bogh DI'raq, qaStaHvIS po ghungchugh, vaj 'InSongvam HoHmeH wa'logh neH chopnISchugh ... vaj potlhbe"a'?«

Seychu'mo' ghaH DoqchoH qabDaj. ghIq jatlhtaH:

»'u' naQDaq, 'uy' HovmeyDaq nIteb taHbogh wa' 'InSong muSHa'chugh vay', vaj QuchchoHmeH ghaHvaD yapbej wa'logh HovmeyDaq bejchugh. vaj ja"egh: pa', DungwIjDaq, 'InSongwIj tu'lu'. vogh tu'lu' ... 'ach 'InSong Sopchugh DI'raq, vaj ghaHvaD ngablaw' Hoch Hovmey! vaj potlhbe'taH'a'?«

pagh jatlhlaHchoH ghaH. pay' SaQchoHchu'qu'. taghpu' ram. janmeywIj vItatlhta'. DaH jIHvaD potlhbe'choH mupwI', pe'wI', burghwIj, Hegh je. ram bIH. DaH wa' HovDaq, yuQwIjDaq, naDev tera'Daq, ta'puq mach vI'IQHa'nISqu'moH! ghaH vI'uchmeH, DeSDu'wIj vIlo'. loQ vIvIHmoH, ghu najmoHwI' vIrur. qoghDajDaq jIjatlhtaHvIS jIchuSHa': »Qob bambe' 'InSong'e' DamuSHa'bogh ... DI'raqlIjvaD nuj mo' vIwevqang ... 'InSonglIjvaD yerghoHom vIwevqang ...« latlh jIjatlhlaHbe'. jISoy'qu' 'e' vIHarchoH. ghaH vISIchmeH mIw vISovbe'. Qatlhqu' 'IQwI' qo'.

»Seit einer Million Jahren haben die Blumen Dornen. Und seit einer Million Jahren essen Schafe Blumen. Ist also ein Mann nicht ernst, wenn er versucht, den Grund zu verstehen, warum eine Blume nutzlose Dornen hat? Ist denn der Krieg zwischen den Schafen und den Blumen nicht wichtig? Ist der rote fette Buchhalter wichtiger als diese Schlacht? Falls ich eine Blume kenne und diese Blume im ganzen Universum nichts ähnelt, falls es diese Blume nur auf meinem Planetoiden gibt, und dann ein Schaf ankommt, das seine Taten nicht kennt und während des Morgens Hunger hat, und falls es nur einmal beißen muss, um die Blume zu töten ... ist das dann nicht wichtig?«

Weil er sehr aufgeregt war, wurde sein Gesicht rot. Dann sagte er weiter:

»Wenn jemand eine Blume liebt, die es nur einmal auf einer Million Sterne im ganzen Universum gibt, dann genügt es ihm zum glücklich werden, wenn er nur einmal zu den Sternen hinaufschaut. Dann sagt er sich selbst: Dort über mir, da ist meine Blume. Sie ist irgendwo ... Aber falls ein Schaf die Blume frisst, dann scheint es für ihn, als würden alle Sterne verschwinden! Ist das also immer noch nicht wichtig?«

Er konnte nichts mehr sagen. Plötzlich begann er richtig zu weinen. Die Nacht hatte begonnen. Ich hatte mein Werkzeug zurückgelegt. Mein Hammer, meine Schere, mein Magen und der Tod waren für mich unwichtig geworden. Sie waren unbedeutend. Jetzt musste ich auf einem Stern, auf meinem Planeten, hier auf der Erde, den kleinen Prinzen untraurig machen! Ich hielt ihn mit meinen Armen fest. Ich bewegte ihn hin und her, wie ein Kindermädchen es tut. Ich war sehr leise, als ich ihm ins Ohr sprach: »Die Blume, die du so liebst, ist nicht in Gefahr ... Ich werde deinem Schaf einen Maulkorb zeichnen ... Ich werde deiner Blume eine kleine Mauer zeichnen ...« Mehr konnte ich nicht sagen. Ich begann zu glauben, dass ich sehr ungeschickt sei. Ich kannte keine Methode, um ihn zu erreichen. Die Welt der Traurigen ist sehr kompliziert.

tugh 'InSongvetlh vISovqu'choHba'. reH ta'puq mach yuQDaq 'InSongmey lutu'lu'. ngeDqu' bIH, gho neH rur 'uma'HommeyDaj. potlhbe' bIH 'ej pagh lunuQ. qaStaHvIS po magh yotlhDaq narghta' bIH, 'ej DorDI' jaj, ngab. 'ach rav 'uchchoH naDev pawbogh raS'IS 'oQqarmey – mungDaj Sovbe'lu' – 'ej latlh ghubmey rurbe'bogh ghubvam'e' buSqu'taH ta'puq mach. chaq bewbeb Segh chu' 'oH. pay' nenchoH 'e' mev lavvam, 'ej 'uma' chenmoH. Doch Dunqu' 'ej 'IHqu' mojbej 'e' Qubba' nenchoHbogh ghub'a' tIn bejtaHvIS ta'puq mach, 'ach pa'HomDaj SuDDaq 'IHchoHtaHvIS, nenchoHbe'law' 'InSong. nguv'eghmoHtaHvIS, vumchu' 'ej Qubchu', ngIq 'uma'meyDaj poSmoH. boghDI', werbogh 'InSong rur neHbe'law'. boghpa', rIn 'IHchoHmeH mIw 'e' neHba'. toH! belmoH neHqu'. vaj qaStaHvIS wa'maH cha' pemmey wa'maH cha' rammey je 'IH'eghmoHta'. ghIq, wa' po, qaStaHvIS jajlo', 'ang'egh.

'ej HobtaHvIS, jatlh vumwI'vam povqu':

»toH! wej jIvemchu' … jItlhIj … jIwertaH …«

'ach Ho'taHghach So'laHbe' ta'puq mach:

»bI'IHqu'!«

»quSDaq bIba'.« jang 'InSong. »'ej boghDI' jul, jIbogh je jIH …«

mIywI'Hom ghaHlaw' nom 'e' tu' ta'puq mach, 'ach 'IHqu' ghaH 'e' chID je.

»DaH qaS nIQ poH 'e' vIHar«, nom 'e' chel, »choqawneS'a'?«

mISchu' ta'puq mach; nom bIQ ngaSbogh DoQmIv'e' qem ghaH, ghIq 'InSongDaq 'oH lIch.

VIII

Bald sollte ich diese Blume besser kennen lernen. Auf dem Planeten des kleinen Prinzen hatte es immer Blumen gegeben. Sie waren sehr einfach, ihre Blütenblätter formten einfach nur einen Kreis. Sie waren nicht wichtig und sie störten niemanden. Sie erschienen morgens auf der Wiese und abends verschwanden sie wieder. Aber die Wurzeln von einer hielten den Boden gut fest - niemand wusste, woher sie kam - und der kleine Prinz beobachtete diese Blüte sehr gut, die ganz anders aussah als alle anderen. Vielleicht war es eine neue Sorte Affenbrotbaum? Plötzlich hörte dieser Strauch auf zu wachsen und bildete eine Knospe. Während der kleine Prinz diese Knospe beim Wachsen beobachtete, dachte er sich, dies müsse etwas Großartiges und Schönes werden, aber die Blume schien damit nicht fertig zu werden, sich in ihrer grünen Kammer schön zu machen. Sie arbeitete daran und dachte gut dabei nach, sich zu färben, dann öffnete sie ihre Blüte. Sie wollte offenbar nicht bei ihrer Geburt wie eine zerknitterte Blume aussehen. Sie wollte offenbar, dass die Entwicklung ihrer Schönheit abgeschlossen ist, bevor sie geboren wird. Ach! Sie wollte einfach nur gefallen. Also hat sie sich während zwölf Tagen und zwölf Nächten schöngemacht. Dann, eines Morgens, hat sie sich in der Morgendämmerung gezeigt.

Und während sie gähnte, sagte diese perfekte Arbeiterin:

»Ach! Ich bin noch nicht ganz wach ... Ich entschuldige mich ... ich bin noch zerknittert ...«

Aber der kleine Prinz konnte seine Bewunderung nicht verbergen:

»Du bist sehr schön!«

»Das ist ja wohl offensichtlich.«, antwortete die Blume. »Und wenn die Sonne geboren wird, werde ich auch geboren ...«

Der kleine Prinz stellte schnell fest, dass sie offenbar eine kleine Angeberin war, aber er gab ebenfalls zu, dass sie schön war.

»Ich glaube, jetzt ist Frühstückszeit«, fügte sie schnell hinzu. »Erinnert Ihr euch an mich?«

Der kleine Prinz war verwirrt; er brachte schnell einen Eimer mit Wasser und kippte ihn dann über die Blume.

vaj tugh ta'puq mach nuQchoH 'InSong qajunpaQHey. wa' jaj, loS DuQwI'HommeyDaj qeltaHvIS, ta'puq machvaD jatlh:

»reH vIghro''a' vISuvrup, mughIjbe' pachDaj!«

»yuQwIjDaq vIghro''a' tu'lu'be'«, jatlh ta'puq mach,

»'ej magh luSopbe' vIghro''a'mey.«

»magh jIHbe'«, pe'vIlHa' jang 'InSong.

»jItlhIj 'e' yIchaw' …«

»mughIjlaHbe' vIghro''a'mey, 'ach mu'oy'moHqu'bej SuSHom. naDev tlhoy'Hom Damutlhqang'a'?«

'oy'moHbogh SuSHom? … naHvaD ghu' qab 'oHbej ghu'vam'e' 'e' tu' ta'puq mach. Qatlhqu' 'InSongvam …

»DorDI' jaj, choyoDmeH moQbID Dajom 'e' vIpoQ. juHlIjDaq bIrqu'. DunHa' juHvam. juHwIjDaq …«

42

Dann begann die scheinbare Kühnheit der Blume den kleinen Prinzen zu nerven. Eines Tages, während sie über ihre vier Dornen sprach, sagte sie dem kleinen Prinzen:

»Ich bin immer bereit, gegen den Tiger zu kämpfen. Seine Klauen machen mir keine Angst!«

»Auf meinem Planeten gibt es keinen Tiger«, sagte der kleine Prinz.

»Und Tiger essen kein Gras.«

»Ich bin kein Gras«, antwortete die Blume rasch.

»Erlaube mir, mich zu entschuldigen ...«

»Die Tiger können mich nicht erschrecken, aber ein kleiner Wind schmerzt mich wirklich sehr. Wärst du bereit, mir ein Mäuerchen zu bauen?«

Schmerzende Brise? ... Der kleine Prinz stellte fest, dass dies eine witzige Situation für eine Pflanze ist. Diese Blume ist wirklich schwierig ...

»Ich verlange, dass du am Ende des Tages eine beschützende Glocke über mir installierst. In deinem Zuhause ist es sehr kalt. Dieses Zuhause ist sehr ungenügend. In meiner Heimat ...«

'ach pay' jatlh 'e' mev 'InSong. naDev pawDI', raS'IS ghaH neH. latlh qo'mey SovlaHbe' ghaH. nepwI' Daba'taH 'e' tlhojmo' 'InSong, tuHchoHchu'. ngoDvam buSHa'meH, cha'logh tuSchu' 'InSong, ghIq ta'puq mach ra'choH:

»tlhoy'Hom ...?«

»vImutlhchoH 'e' vInID, 'ach jIHvaD bIjatlhta'.«

ta'puq mach paychoHchu'meH DaH tuSqa' ghaH.

bangDaj voqchu'taH neHqu' ta'puq mach, 'ach DaH nom 'oH HonchoH. mu'mey potlh bIH mu'meyDaj ramqu"e' 'e' Harmo', vaj DaH QuchHa'choH ghaH.

»'oH vIQoybe'ta' 'e' vIjIn.«, muchID ghaH. »'InSongmey luQoynISlu'be'. bIH bejnISlu' 'ej bIH larghnISlu'. yuQwIj teb pIwDaj, 'ach not 'oH vItIvlaH. muDuQnIS pachDu' lutvetlh, 'ach munuQpu' neH.«

'ej jatlhtaHvIS, muvoqba':

»ngugh ghu' vIyajlaHbe'! ghaH vIchovmeH, ram mu'meyDaj, potlh ta'meyDaj. jIHvaD He'taH, 'ej jIHvaD wovtaH. jIHaw'pu' 'e' vIpaychu'. Do'Ha' qabDaj qej 'emDaq quvDajna' vIghovbe'. taQchu' 'InSongmey jay'! GhaH vIquvmoHmeH, Do'Ha' ngugh tlhoy jIQup.«

Aber dann stoppte die Blume plötzlich. Als sie hier ankam, war sie nur ein Samen. Sie konnte keine anderen Welten kennen. Da sie erkannte, dass sie lügen würde, schämte sie sich. Um davon abzulenken, hustete die Blume zweimal, dann kommandierte sie den kleinen Prinzen:

»Mäuerchen ...?«

»Ich hatte gerade versucht, es aufzubauen, aber du hattest mich angesprochen.«

Und jetzt hustete sie wieder, damit der kleine Prinz es bereuen würde.

Der kleine Prinz wollte seiner Geliebten weiter vertrauen, aber jetzt begann er schnell, an ihr zu zweifeln. Weil er glaubte, dass ihre belanglosen Worte wichtig sind, war er jetzt traurig geworden.

»Ich wünschte, ich hätte nicht auf sie gehört«, gestand er mir. »Man sollte nicht auf Blumen hören. Man sollte sie anschauen und daran riechen. Mein Planet war von ihrem Duft ausgefüllt, aber ich konnte es nie genießen. Die Geschichte mit den Klauen hätte mich rühren sollen, aber sie hat mich nur genervt.«

Und während er sprach, schien er mir zu trauen:

»In jenem Moment konnte ich die Situation nicht verstehen! Um sie zu beurteilen, waren ihre Taten wichtig, ihre Worte unwichtig. Sie duftete für mich und sie leuchtete für mich. Ich bereue, dass ich geflohen war. Leider hatte ich ihre Ehrhaftigkeit nicht hinter ihrem bösen Gesicht erkannt. Blumen sind verdammt seltsam! Leider war ich zu dem Zeitpunkt zu jung, um sie richtig zu ehren.«

narghmeH, bo'Deghmey tlhab ghom'a' lo'ta' ghaH 'e'
vIQub. qaStaHvIS mejmeH po, yuQDaj Say'moH. yInbogh
qulHuDmeyDaj Say'moHchu'. cha' yInbogh qulHuDmey ghaj.
nIQ vutmeH lI'qu' bIH. Heghpu'bogh qulHuD ghaj je. 'ach reH
qaw'eghmoHmo': tuch rItlaHbe' vay'! vaj reH Heghpu'bogh
qulHuD Say'moH je. Say'taHvIS qulHuDmey, vaj meQchu'
'ej jorbe'. jorDI' qulHuD, vaj meQ neH tlhIch 'och. machqu'
tera'nganpu', vaj qulHuDmeymaj DISay'moHlaHbe' net Sov.
ngoDvammo' maHvaD qay'chu' bIH.

loQ 'IQtaHvIS, chuvbogh bewbeb ghubmey luH ta'puq mach. not
cheghnIS 'e' Qub ghaH. 'ach Qu'Hommeyvam motlh chavtaHvIS,
DaHjaj bIH tIvlaw' ghaH. 'ej 'InSongDaj yIQmoHDI', mIw
HochDIch chavta'. 'oH DungDaq QanmeH moQbID lan 'e' taghDI',
yabDajDaq SaQ neH 'e' tu'law'.

»Qapla'«, 'InSongvaD jatlh.

'ach jangbe' 'oH.

»Qapla'«, jatlhqa'.

tuS 'InSong. 'ach ropbe'ba' 'oH.

tagha' jatlhchoH 'InSong »jIQIppu'. jItlhIj. bIQuch 'e' yInID.«

pIchbe'lu'mo', ghaH mer ghu'. 'al'on moQbID 'uchtaHvIS
wanI'vam bejtaH neH. QeHHa'ghachvam yajlaHbe'.

IX

Ich glaube, er nutzte eine Gruppe von freien Vögeln, um zu flüchten. Während des Morgens der Flucht reinigte er seinen Planeten. Seine lebenden Vulkane reinigte er gründlich. Er besaß zwei lebende Vulkane. Sie waren sehr nützlich, um das Frühstück zuzubereiten. Er besaß auch einen gestorbenen Vulkan. Aber er erinnerte sich immer selbst: Niemand kann die Zukunft vorhersehen! Er reinigte immer auch den gestorbenen Vulkan. Während die Vulkane sauber sind, brennen sie gut und explodieren nicht. Sobald ein Vulkan explodiert, dann brennt nur der Rauchkamin. Es ist bekannt: Wir Erdlinge sind sehr klein, daher können wir unsere Vulkane nicht reinigen. Deswegen sind sie für uns ein großes Problem.

Der kleine Prinz riss etwas traurig die restlichen Triebe der Affenbrotbäume aus. Er dachte, dass er niemals zurückkehren müsse. Aber während er diese kleinen Aufgaben durchführte, genoss er die Arbeit heute. Und sobald er seine Blume goss, hatte er seinen letzten Schritt abgeschlossen. Sobald er die schützende Glocke über sie stülpte, merkte er, dass er in seinen Gedanken weinen wollte.

»Erfolg«, sagte er zur Blume.

Aber sie antwortete nicht.

» Erfolg«, sagte er nochmal.

Die Blume hustete. Aber sie war offensichtlich nicht krank.

Endlich begann die Blume zu sprechen. »Ich bin dumm gewesen. Ich entschuldige mich. Versuche, glücklich zu sein.«

Da er nicht beschuldigt wurde, überraschte ihn die Situation. Während er die Glasglocke festhielt, beobachtete er einfach nur das Ereignis. Er konnte diese Sanftmut nicht verstehen.

»qamuSHa', net Sov«, jatlh 'InSong. »not 'e' Datu' SoH. pIch vIghaj jIH. potlhbe' ngoDvam. 'ach mavangtaHvIS jIH QIp law' SoH QIp rap. DaH bIQuch 'e' yInID … 'al'on moQbIDvetlh yIwoD! vIneHtaHbe' …«

»'ach SuS'e' …«

»jIropchu'be', 'ej … mupIvmoHbej ram rewve'. 'InSong jIH.«

»'ach Ha'DIbaHmey'e' …«

»Su'wan ghew vIqIHmeH, 'ughDuq gharghmey 'op vISIQnISba'. chaq mubelmoH bIH je. latlh SuchwI' tu'lu'be', qar'a'? tugh bIHopchu' 'e' vItlhoj. mughIjbe' Ha'DIbaHmey tIn. pachDu' vIghaj jIH.«

loS DuQwI'Daj 'angtaHvIS Hemqu'. ghIq chel:

»poHvam yInI'moHQo'. muQeHchoH neH. bIleng 'e' DawIv, vaj yIruch!«

SaQ 'e' legh ghaH neHbe' 'InSong, Hemqu'mo' 'oH.

wa'maH

ghopDap 325, 326, 327, 328, 329, 330 je SepDaq ghaHtaH. ghojmeH 'ej vangmeH bIH SuchchoH.

ghopDap wa'DIch Dab voDleH.

quS'a' napDaq ba' voDleH, 'ach voDleHna' quS 'oHbej.

Doqqu' 'ej Hurgh ngupDaj, veDDIrmey 'IHqu' yugh.

»toH! muSuch toy'wI'«, jach voDleH, ta'puq mach tu'DI'.

SIv ta'puq mach. wej muleghpu' voDleHvam, vaj chay' muSovlaH?

'ach voDleHvaD ngeDqu' qo' 'e' Sovbe'ba' ta'puq mach: toy'wI' chaH Hoch ghotpu''e'.

»HIghoS, vaj qaleghlaHqu'chu'«, jatlh voDleH.

tagha' voDleH DalaHmo', HemchoH ghaH.

ba'meH Daq nej ta'puq mach, 'ach yuQ naQ luvel ngup veDDIrmey 'IHqu'.

»Man weiß, dass ich dich liebe«, sagte die Blume. »Das hast du nie festgestellt. Es ist meine Schuld. Dieses Detail ist nicht wichtig. Aber während wir handelten, warst du genauso dumm wie ich. Versuche jetzt glücklich zu sein ... Wirf diese Glocke weg! Ich will sie nicht mehr ...«

»Aber der Wind ...«

»Ich bin nicht wirklich krank und ... Die Luft der Nacht wird mich bestimmt gesund machen. Ich bin eine Blume.«

»Aber die Tiere ...«

»Wenn ich Schmetterlinge sehen will, muss ich ein paar Raupen akzeptieren. Vielleicht machen sie mir auch Freude. Es gibt keinen anderen Besucher, nicht wahr? Ich erkenne, dass du bald weit weg sein wirst. Die großen Tiere machen mir keine Angst. Ich habe Krallen.«

Sie war sehr stolz als sie ihre vier Dornen zeigte. Dann fügte sie hinzu:

»Mache diese Zeit nicht noch länger. Es verärgert mich nur. Du hast dir ausgesucht, dass du verreisen möchtest, dann mach es auch!«

Die Blume wollte nicht, dass er sie weinen sieht, denn sie war eine stolze Blume.

X

Er befand sich in der Region der Asteroiden 325, 326, 327, 328, 329 und 330. Er besuchte sie, um zu lernen und zu handeln.

Auf dem ersten Asteroiden lebte ein König.

Der König saß auf einem Stuhl, der zwar einfach war, aber trotzdem der Stuhl eines Königs. Sein Umhang war dunkelrot und bestand aus schönen Fellen.

»Ah! Ein Diener besucht mich«, schrie der König, als er den kleinen Prinzen entdeckte.

Der kleine Prinz wunderte sich. Dieser König hatte mich noch nie getroffen, wie kann er mich also kennen?

Aber der kleine Prinz wusste wohl nicht, dass für diesen König die Welt ganz einfach war: Alle Personen sind Diener.

»Komm her, dann kann ich dich besser sehen«, sagte der König. Er war sehr stolz, da er sich endlich richtig wie ein König verhalten konnte.

Der kleine Prinz suchte eine Stelle, an welcher er sich setzen konnte, aber der gesamte Planet war von den schönen Pelzen seines Mantels bedeckt.

vaj QamtaH, 'ej Doy'mo' Hob.

»SaHchugh voDleH, 'ej Hoblu'chugh vaj pabHa'lu'.« jatlh che'wI'.

»bIHob 'e' vItuch.«

»vI'omlaHbe'«, jang mISqu'bogh ta'puq mach. »nI'qu' lengwIj 'ej jIQongta'be' ...«

»vaj«, jatlh voDleH, »qara': yIHob. qaStaHvIS DIS law' not HobwI' vIlegh. jIHvaD qub wanI'. DaH yIHobqa', yIruch. qara'!«

»DaH choghIjmo' jIHoblaHtaHbe' ...«, jat ta'puq mach 'ej loQ DoqchoH qabDaj.

»Hm, hm!« jang voDleH. »vaj ... qara': tugh yIHob 'ej tugh ...«

loQ jat ghaH 'ej QeHlaw'.

woQDaj vuvlu'chu' neHbej voDleH. lobHa'ghach lajlaHbe'. che'wI' quv ghaH. 'ach che'wI' quv ghaHmo', ra'taHvIS ghaH vaj reH meqchu'.

»jItlhobchugh«, jatlhqa' ghaH, »raw' moj Sa' 'e' vItlhobchugh, 'ej lobbe'lu'chugh, vaj pIch ghajbe' Sa'vetlh. pIch vIghaj jIH.«

»jIba' 'e' Dachaw''a'?« QIt ghel ta'puq mach.

»qara': DaH yIba'!«, jang voDleH 'ej ngupDaj veDDIr luHDI', voDleHna' Dachu'.

'a SIv ta'puq mach. machchu'qu' yuQ. nuq che' voDleHvam?

52

Also blieb er stehen und weil er müde war, gähnte er.

»Falls ein König anwesend ist und man gähnt, dann verstößt man gegen die Regeln.«, sagte der Regent. »Ich verbiete dir, zu gähnen.«

»Ich kann dem nicht widerstehen«, antwortete der verwirrte kleine Prinz. »Meine Reise war sehr lang und ich habe nicht geschlafen ...«

»Dann«, sagte der König, »befehle ich dir zu gähnen. Ich habe seit Jahren niemanden gesehen, der gähnt. Für mich ist es ein seltenes Ereignis. Jetzt gähne nochmal, los! Ich befehle es dir!«

»Jetzt kann ich nicht mehr gähnen, weil du mich erschreckt hast ...«, murmelte der kleine Prinz und sein Gesicht errötete ein wenig.

»Hm, hm!«, antwortete der König. »Dann ... befehle ich dir, bald zu gähnen und bald ...«

Er murmelte etwas und wurde scheinbar verärgert.

Der König wollte scheinbar, dass man seine Autorität respektierte. Ungehorsam konnte er nicht tolerieren. Er war ein ehrenvoller Herrscher. Aber da er ein ehrenvoller Herrscher war, war er immer sehr vernünftig, wenn er Befehle gab.

»Wenn ich etwas verlange«, sagte er, »falls ich verlangte, dass ein General ein Wasservogel würde und er nicht gehorchen würde, dann wäre es nicht der Fehler des Generals. Es wäre mein Fehler.«

»Erlaubst du, dass ich mich setze?« fragte der kleine Prinz langsam.

»Ich befehle dir: setze dich jetzt!«, antwortete der König und er zog am Pelz seines Mantels wie ein König.

Aber der kleine Prinz wunderte sich. Der Planet ist wirklich sehr klein. Was regiert dieser König?

»joHwI'«, ghaHvaD jatlh ... »qatlhobneS, ... HIbIjQo' qaghelmo' ...«

»qara': DaH yIghel«, nom jang neHqu' voDleH.

»joHwI' ... nuq Dache'?«

»Hoch vIche'«, jang neH voDleH.

»Hoch Dache''a'?«

wa'logh ghopDaj vIHmoH voDleH. HochDaq SIq ghaH: yuQDajDaq, latlh yuQmeyDaq, HovmeyDaq je.

»Hoch'e' Dache''a'?« ghelqa' ta'puq mach.

»Hoch'e' ...«, jang voDleH.

che'wI'na' ghaHbej, 'ach che'wI''a' ghaH je.

»Dulob'a' Hovmey?«

»reH mulob bIH«, jatlh voDleH »net Sov. lobHa'ghach vIlajbe'.«

»Mein Herr«, sagte er zu ihm ... »Ich bitte euch, ... bestraft mich nicht, weil ich frage ...«

»Ich befehle dir, mich zu fragen«, wollte der König schnell antworten.

»Mein Herr ... über was herrscht ihr?«

»Ich herrsche über alles«, antworte der König nur.

»Ihr herrscht über alles?«

Der König bewegte seine Hand einmal. Er zeigte auf alles: Auf seinen Planeten, auf die anderen Planeten und auf die Sterne.

»Du herrschst über all das?«, fragte der kleine Prinz.

»Das alles ...«, antwortete der König.

Er war nicht nur ein echter König, sondern auch ein großer König.

»Gehorchen dir die Sterne?«

»Das weiß man«, sagte der König, »dass sie mir immer gehorchen. Ich toleriere keinen Ungehorsam.«

ta'puq machvaD Dojbej woQvam. 'oH ghaj net jalchugh vaj chaq qaStaHvIS wa' jaj SochmaH cha', chaq wa'vatlh, chaq cha'vatlhlogh tlhom chum leghlaH ghaH, 'ej quSDaj vIHnISbe'moH. vaj DaH yuQHomDaj chImmo' loQ 'IQchoH ghaH, ghIq yoHchoH 'ej voDleH tlhob:

»tlhom chum vIlegh vIneH ... HIbelmoH ... tlhom chum qaSmoH jul 'e' yIra' ...«

»Sa' vIra'chugh: DaH ghew yIrur 'ej 'InSongDaq yIpuv; qoj jIra'chugh: DaH ghe'naQ tlhaQ yIqon; qoj jIra'chugh: DaH jentu' yIrur, 'ej lobbe'chugh Sa'vam, vaj muj 'Iv? jImuj'a' jIH, pagh muj'a' ghaH?«

»bImujbej SoH«, ja' ta'puq mach 'ej Honbe' ghaH.

»bIlugh. ghot laH neH yIpoQ«, jang voDleH. »meqlu'ghach neH wuv woQ. rewbe' Dojmey Dara'chugh: Ha', DaH bIQ'a'Daq peSup, vaj Daw'bej chaH. lobtaHghach vIpIH net chaw', reH meqchu'mo' Dochmey vIra'bogh.«

»vaj nuqDaq 'oHtaH tlhom chum'e'?« qawmoH ta'puq mach. ghelchugh ta'puq mach, vaj janglu' neHbej ghaH.

»tlhomlIj chum Daghajbej. vIra'qang. 'ach ra'wI' val jIHmo', poH Do' vIloS vIneH, jIra'pa'.«

»ghorgh qaS poHvam?« ghel ta'puq mach.

»toH« jang voDleH, 'ISjaH tInqu'Daq leghtaHvIS, »toH! tugh qaSbej ... qaSDI' ... qaSDI' ... qaSDI' Soch rep, loSmaH tup, DaHjaj ram! 'ej bIleghbej: vIloblu'.«

Hob ta'puq mach. tlhom chum leghmeH paSmo' ghaH vaj loQ 'IQ. DaH loQ DalchoH ghu'.

»naDev pagh vIta'laH.« voDleHvaD jatlh. »DaH jImej vIneH.«

Der kleine Prinz fand diese Macht wirklich beeindruckend. Wenn er diese gehabt hätte, dann hätte er vielleicht während eines Tages zweiundsiebzig, hundert oder zweihundertmal einen Sonnenuntergang sehen können, ohne seinen Stuhl zu verschieben. Als er jetzt an seinen verlassenen Planeten dachte, wurde er ein wenig traurig, fasste aber dann den Mut zusammen und fragte den König:

»Ich möchte einen Sonnenuntergang sehen ... Mach mir die Freude ... Befehle der Sonne, dass sie untergeht ...«

»Falls ich einem General befehle: Benimm dich wie ein Käfer und fliege auf die Blume; oder falls ich befehlen würde: Komponiere eine lustige Oper, oder falls ich befehlen würde: Benimm dich wie ein Pinguin und der General würde nicht gehorchen, wer wäre dann im Fehler? Wäre ich im Fehler oder er?«

»Du wärst sicher im Fehler«, sagte der kleine Prinz und er zweifelte nicht.

»Du hast Recht. Verlange nur nach den Fähigkeiten einer Person«, antwortete der König. »Autorität beruht nur auf logischem Handeln. Wenn du den Menschenmassen befiehlst, in den Ozean zu springen, dann würden sie sich sicher auflehnen. Man erlaubt es mir, den Gehorsam zu erwarten, solange ich vernünftige Befehle erteile.«

»Also wo ist jetzt der Sonnenuntergang?«, erinnerte der kleine Prinz. Wenn er etwas fragte, wollte er immer eine Antwort erhalten.

»Du wirst deinen Sonneruntergang sicher bekommen. Ich bin willig, es zu befehlen. Aber da ich ein schlauer Befehlshaber bin, warte ich auf den richtigen Moment, bevor ich es befehle.«

»Wann passiert diese Zeit?«, fragte der kleine Prinz.

»Aha«, sagte der König, während er auf einen sehr großen Kalender schaute, »Aha! Es passiert sicher bald ... wenn es ... wenn es sieben Uhr und vierzig Minuten ist, heute Abend! Und du wirst sehen: mir wird gehorcht.«

Der kleine Prinz gähnte. Weil es zu spät war, um den Sonnenuntergang zu sehen, war er etwas traurig. Jetzt wurde es etwas langweilig.

»Ich kann hier nichts machen.«, sagte er dem König. »Ich will jetzt gehen.«

»yImejQo'«, jang DaH rewbe' ghajmo' Hembogh voDleH, »loHwI' qagheSmoH!«

»vaj nuq vIloH?«

»teblaw' loHwI' DagheS!«

»'ach chovmeH vay' tu'lu'be'.«

»'e' SovlaHbe' vay'«, ja' voDleH. »wej qo'wIj Hoch yoSmey vISuchta'. jIqanqu', puH Duj vIverghmeH Daq vIghajbe' 'ej muDoy'moH yItmeH Qu'.«

»toH! latlh DopDaq ...«, ja' ta'puq mach, yuQ latlh Dop leghmeH joDtaHvIS, » ... vay' tu'lu'be' 'e' vIleghlaHchu'.«

»vaj bIchov'eghnIS«, jang voDleH. »Qu'vam Qatlh law', Hoch Qatlh puS. chov'eghmeH Qu' Qatlhqu' law', latlh chovmeH Qu' Qatlh puS. bIchov'eghchu' 'e' Dachavchugh, vaj valwI'na' SoHbej.«

jang ta'puq mach »jIchov'eghmeH potlhbe' Daq. Qu'vetlhvaD naDev vIDabnISbe'.«

»toH, toH.« ja' voDleH, »yuQvamDaq Qa'Hom qan tu'lu' 'e' vIHarqu'. qaStaHvIS ram 'oH vIQoy. Qa'Homvetlh qan chovwI' DamojlaH. rut 'oH DabIjmeH, HeghDaj yIra'. vaj yojlIj wuv yInDaj. 'ach 'oH DapolmeH, Hochlogh HeghDaj Dara'Ha'. wa' neH tu'lu'.«

»Hegh vIra' 'e' vItIvbe'«, jang ta'puq mach, »'ej DaH jImejnISlaw'.«

»Qo'«, jatlh voDleH.

'a che'wI' qan 'oy'moH neHbe' may'luchDaj yIrchu'ta'bogh ta'puq mach:

»nom lobbogh toy'wI' DapIHneSchugh, vaj HIra'chu'neS. chaq qaStaHvIS wa' tup jImej 'e' chora'laHneS. DaH QaQ ghu' 'e' vIHar ...«

jangbe'mo' voDleH, loQ loS ta'puq mach, 'ach ghIq lengDaj tagh.

»'oSwI'wI' qagheSmoH«, nom jach voDleH.

loD potlh rur 'e' nID ghaH.

taQbej nenwI'pu' ja''egh ta'puq mach, lengtaHvIS.

»Gehe nicht!«, sagte der König, der jetzt einen Untertan hatte und deswegen sehr stolz war. »Ich mache dich zum Verwalter!«

»Was soll ich denn verwalten?«

»Du wirst zum Verwalter der Rechtsprechung!«

»Aber hier ist doch niemand zum Verurteilen.«

»Das kann niemand wissen«, sagte der König. »Ich habe noch nicht alle Bereiche meines Planeten besucht. Ich bin sehr alt, ich habe keinen Platz, um mein Schiff abzustellen und das Gehen macht mich müde.«

»Ach! Ich kann aber sehen, ...«, sagte der kleine Prinz, während er sich hinkniete, um auf die andere Seite des Planeten zu schauen, »... dass auf der anderen Seite niemand ist.«

»Dann musst du dich selbst verurteilen.«, antwortete der König. »Diese Aufgabe ist die schwierigste von allen. Sich selbst zu verurteilen ist viel schwieriger als andere zu verurteilen. Wenn du es schaffst, dich selbst richtig zu verurteilen, dann bist du eine sehr schlaue Person.«

Der kleine Prinz antwortete »Um mich selbst zu richten, ist der Ort nicht wichtig. Für diese Aufgabe muss ich nicht hier wohnen.«

»Ach, ach.«, sagte er König, »Ich glaube wirklich, dass es auf diesem Planeten eine alte Ratte gibt. Ich höre sie nachts. Du kannst der Richter über diese alte Ratte werden. Manchmal kannst du sie zum Tode verurteilen. Dann hängt ihr Leben von deiner Rechtsprechung ab. Aber jedes Mal nimmst du deine Verurteilung zurück, um sie zu retten. Es gibt nur eine.«

»Ich habe keinen Spaß daran, den Tod zu befehlen«, antwortete der kleine Prinz, »und jetzt muss ich scheinbar gehen.«

»Nein«, sagte der König.

Aber der kleine Prinz, der seine Ausrüstung bereits gesammelt hatte, wollte dem alten Regenten nicht wehtun:

»Falls Eure Majestät schnell gehorchende Diener erwartet, dann befehlt mir richtig. Vielleicht könnt Ihr mir befehlen, innerhalb einer Minute zu gehen. Ich glaube, dass die Situation jetzt gut ist ...«

Weil der König nicht antwortete, wartete der kleine Prinz kurz und begann dann seine Reise.

»Ich mache dich zu meinem Vertreter«, rief der König schnell.

Er versuchte wie ein wichtiger Mann zu erscheinen.

Die Erwachsenen sind wirklich seltsam, sagte sich der kleine Prinz, während er weiterreiste.

wa'maH wa'

yuQ cha'DIch Dab 'IHwI'.

»toH, toH. muSuchlaw' Ho'wI'!« jach 'IHwI', ta'puq mach tu'DI'. 'IHwI'pu'vaD Ho'wI' chaH Hoch ghotpu''e'.

»qavan«, jatlh ta'puq mach. »tlhaQbej mIv DatuQbogh.«

»vanmeH vIlo'«, jang 'IHwI'. »vIvanlu'DI', vay' vIvanmeH 'oH vIlo'. Do'Ha' naDev muSuchbe' vay'.«

»teH'a'?« jatlh pagh yajbogh ta'puq mach.

60

XI

Auf dem zweiten Planeten lebte ein Schönling.

»Ah, ah, mich besucht anscheinend ein Bewunderer!«, rief der Schönling, sobald er den kleinen Prinzen entdeckte.

Für den Schönling sind alle Leute Bewunderer.

»Ich grüße dich«, sagte der kleine Prinz. »Dein Hut ist wirklich witzig.«

»Ich benutze ihn zum Grüßen«, antwortete der Schönling. »Wenn ich begrüßt werde, benutze ich ihn zum Grüßen. Leider kommt hier nie jemand vorbei.«

»Wirklich?«, sagte der kleine Prinz, der nichts verstand.

»ghopDu'lIj tIpaw'moH« chup 'IHwI'.

ghopDu'Daj paw'moH ta'puq mach. vanmeH, mIvDaj tuQHa'moH 'IHwI'.

wanI'vam Daj law', voDleH vISuchtaHvIS wanI' Daj puS, ja''egh ta'puq mach.

ghIq ghopDu'Daj paw'moHqa'. mIvDaj tuQHa'moH 'IHwI', vanmeH.

DorDI' vagh tup, Qujvam tIvbe'choH ta'puq mach, DalchoHmo' 'oH:

»mIv vIchaghmoHmeH«, ghel, »nuq vIta'nIS?«

'ach Qoybe' 'IHwI'. roD naDmey neH Qoy ghaH.

»Klatsche in deine Hände«, empfahl ihm der Schönling.

Der kleine Prinz klatschte in die Hände. Der Schönling nahm zum Grüßen den Hut ab.

Dieses Ereignis ist interessanter als der Besuch beim Königs, sagte sich der kleine Prinz.

Dann klatschte er nochmals in die Hände. Der Schönling nahm den Hut ab und grüßte.

Nach fünf Minuten begann der kleine Prinz diese Situation nicht mehr zu mögen, weil sie langweilig wurde:

»Was muss ich machen«, fragte er, »damit der Hut hinfällt?«

Aber der Schönling hörte nicht zu. Er hörte normalerweise nur den Lobreden zu.

»choHo'qu''a'?« ta'puq mach ghel.

»nuq 'oS Ho'meH mIw?«

»vIHo'lu'DI', vaj yuQvamDaq mobbogh 'IHwI', mIpwI', valwI' je jIH, 'e' tlhojlu'.«

»'ach yuQvamDaq bImob net Sov!«

»HIbelmoH 'ej HIHo'qu'!«

»qaHo'«, ja' ta'puq mach, 'ej loQ volchaHDaj pep, »'ach qatlh SoHvaD potlh Ho'taHghachwIj?«

ngugh mej ta'puq mach.

taQqu'bej nenwI'pu' 'e' tu' ta'puq mach, lengtaHvIS.

wa'maH cha'

latlh yuQ Dab chechwI'. nI'be' ghaH SuchmeH poH, 'ach ta'puq mach 'IQchoH wanI'.

»nuq DaDIgh?« chechwI'vaD ghel. chImbogh balmey law', buy'bogh balmey law' je bejtaH chechwI'.

»jItlhutlh«, jang chechwI' QeH.

»qatlh bItlhutlh?« ghel ta'puq mach.

»jIlIjmeH«, jang chechwI'.

»nuq DalIjmeH?« ghel ta'puq mach, rejmorgh DataHvIS.

»jItuH 'e' vIlIjmeH«, chID chechwI' 'ej 'IQba' qabDaj.

»qatlh bItuH?« ghel QaHqangbogh ta'puq mach.

»jItlhutlhmo'!« jatlh chechwI' 'ej tamqu'choH.

ghIq nom mej ta'puq mach.

taQqu'bej nenwI'pu' ja''egh ta'puq mach, lengtaHvIS.

wa'maH wej

yuQ loSDIch ghaj Suy. vumchu'taHmo' loDvetlh, nachDaj pepbe' ghaH, pawDI' ta'puq mach.

»yIqIm«, ghaHvaD jatlh ta'puq mach. »meQ 'e' mevlaw' tlhIch QechjemHomlIj.«

»Bewunderst du mich sehr?«, fragte er den kleinen Prinzen.

»Was bedeutet bewundern?«

»Wenn ich bewundert werde, dann erkennt man, dass ich der Schönste, Reichste und Schlauste auf dem ganzen Planeten bin.«

»Aber du bist doch allein auf dem ganzen Planeten!«

»Tu mir den Gefallen und bewundere mich!«

»Ich bewundere dich«, sagte der kleine Prinz, und er zuckte kurz mit den Schultern, »aber warum ist das für dich so wichtig?«

Dann ging der kleine Prinz.

Während er weiterreiste, stellte er abermals fest, dass die Erwachsenen wirklich sehr seltsam sind.

XII

Auf dem nächsten Planeten wohnte ein Betrunkener. Der kleine Prinz blieb nicht lange auf diesem Planeten, aber es machte ihn trotzdem traurig.

»Was machst du?«, fragte er den Betrunkenen. Der Betrunkene schaute nur auf seine leeren und vollen Flaschen.

»Ich trinke«, antwortete der wütende Betrunkene.

»Warum trinkst du?«, fragte der kleine Prinz.

»Um zu vergessen«, antwortete der Betrunkene.

»Um was zu vergessen?«, fragte der kleine Prinz, der sich Sorgen machte.

»Um zu vergessen, dass ich mich schäme«, gab der Betrunkene zu und sein Gesicht erschien traurig.

»Warum schämst du dich?«, fragte der kleine Prinz, der helfen wollte.

»Weil ich trinke!«, sagte der Betrunkene und wurde ruhig.

Dann ging der kleine Prinz schnell weiter.

Die Erwachsenen sind wirklich sehr seltsam, sagte sich der kleine Prinz und reiste weiter.

XIII

Der vierte Planet gehörte einem Geschäftsmann. Weil der Mann so am arbeiten war, hob er nicht einmal den Kopf, als der kleine Prinz ankam.

»Pass auf«, sagte der kleine Prinz. »Dein Glimmstängel ist anscheinend ausgegangen.«

»cha' boq wej; chen vagh. Soch boq vagh; chen wa'maH cha'. wej boq wa'maH cha'; chen wa'maH vagh. nuqneH? Soch boq wa'maH vagh; chen cha'maH cha'. jav boq cha'maH cha'; chen cha'maH chorgh. 'oH vIchu'qa'meH poH vIHutlh. vagh boq cha'maH jav; chen wejmaH wa'. va! vaj chen vaghvatlh wa' 'uy' javbIp cha' netlh cha' SanID Sochvatlh wejmaH wa'.«

»vaghvatlh 'uy' nuq?«

»nuqjatlh? bISaHtaH'a'? vaghvatlh wa' 'uy' … jISovbe' … tlhoy jIvum! loD Sagh jIH, ghIlab ghewmey vIbuSQo'. vagh boq cha'; chen Soch …«

»vaghvatlh wa' 'uy' nuq?« tlhobqa' ta'puq mach. ghelchugh ta'puq mach, vaj janglu' neHbej ghaH.

DaH ghaH bejchoHqu' Suy.

»Drei plus zwei ergibt fünf. Sieben plus fünf ergibt zwölf. Drei plus zwölf ergibt fünfzehn. Was willst du? Sieben plus fünfzehn ergibt zweiundzwanzig. Zweiundzwanzig plus sechs ergibt achtundzwanzig. Mir fehlt die Zeit, ihn wieder anzuzünden. Sechsundzwanzig plus fünf ergibt einunddreißig. Verdammt! Das ergibt also fünfhunderteine Million sechshundertzweiundzwanzigtausendsiebenhunderteinunddreißig.«

»Fünfhundert Millionen was?«

»Was? Bist du immer noch da? Fünfhunderteine Million ... ich weiß es nicht ... ich arbeite zu viel! Ich bin ein ernster Mann, ich achte nicht auf Kleinigkeiten. Zwei plus fünf ergibt sieben ...«

»Fünfhunderteine Million wovon?« wiederholte der kleine Prinz. Wenn der kleine Prinz etwas fragte, wollte er auch eine Antwort hören.

Jetzt schaute der Geschäftsmann ihn richtig an.

»qaStaHvIS vaghmaH loS DIS yuQvam vIDab 'ej wejlogh neH vISujlu'. cha'maH cha' ben qaS wanI' wa'DIch. pumpu' ghew. mungDaj vISovbe', 'ach chuSpu' ghu'. jItoghtaHvIS loSlogh jIQaghpu'. wa'maH wa' ben qaS wanI' cha'DIch. pay' 'oy'pu' qIvonwIj, tlhoyHa' jIvIHba'mo', 'ach jImI'meH poH vIHutlh. loD Sagh jIH. 'ej DaHjaj qaS wanI' wejDIch jay'! jIja'pu': vaghvatlh wa' 'uy' ...«

»'uy' nuq?«

yajchoH Suy. QaplaHbe' roj 'e' yajqu' Suy:

»rut chalDaq 'uy' Dochmeyvetlh mach luleghlu'.«

»ghewmey bIH'a'?«

»ghobe'. bochbogh Dochmey mach.«

»ghIlab ghewmey bIH'a'?«

»ghobe' jay'. wovbogh 'ej qol'om rurbogh Dochmey mach, bIHmo' najchoH buDwI'pu'. loD Sagh jIH. jInajmeH poH vIHutlh.«

»toH, Hovmey bIH'a'?«

»vaj chaq bIHvaD Hov ponglu'.«

»chay' vaghvatlh wa' 'uy' Hov Dalo'?«

»vaghvatlh wa' 'uy' jav bIp cha' netlh cha' SanID Sochvatlh wejmaH wa'. loD Sagh jIH, reH jIqarchu'.«

»'ej chay' Hovmeyvam Dalo'?«

»DaSov DaneH'a'?«

»HISlaH.«

»vIlo'be'. vIghaj.«

»Hovmey Daghaj'a'?«

»HIja'.«

»'a muja' voDleH, ...«

»ghajbe' voDleH, che' chaH. pImchu'.«

»Hovmey Daghajchugh, chay' SoHvaD lI' ghu'?«

»vaj jImIpmo'.«

»chay' SoHvaD lI' ghu' bImIpchugh?«

»Ich bewohne diesen Planeten seit vierundfünzig Jahren und wurde nur dreimal gestört. Vor zweiundzwanzig Jahren passierte das erste Ereignis. Ein Käfer fiel herunter. Ich weiß nicht, woher er kam, aber es war sehr laut. Ich habe mich dabei viermal verzählt. Vor elf Jahren passierte das zweite Ereignis. Mich schmerzte plötzlich mein Kivon, offenbar, weil ich es zu wenig bewegt hatte, aber ich habe keine Zeit zum Sport machen. Ich bin ein ernster Mann. Und heute passierte das dritte Ereignis! Ich sagte: fünfhunderteine Million ...«

»Millionen wovon?«

Der Geschäftsmann begann es zu begreifen. Er verstand, dass es keinen Frieden geben würde:

»Manchmal sieht man am Himmel Millionen von diesen kleinen Dingern.«

»Sind es Käfer?«

»Nein. Diese kleinen leuchtenden Dinger.«

»Sind es Glob-Fliegen?«

»Nein, verdammt. Diese kleinen wie Gold glänzenden Dinger, wegen derer die Faulenzer zu träumen beginnen. Ich bin ein ernster Mann. Ich habe keine Zeit zum Träumen.«

»Ach, sind es die Sterne?«

»Dann werden sie wohl Sterne genannt.«

»Wie benutzt du fünfhundert Millionen Sterne?«

»Fünfhunderteine Million sechshundert zweiundzwanzig tausendsiebenhunderteinunddreißig. Ich bin ein ernster Mann, ich bin immer sehr genau.«

»Und was machst du mit den Sternen?«

»Willst du das wissen?«

»Ja.«

»Ich benutze sie nicht. Ich besitze sie.«

»Du besitzt die Sterne?«

»Ja.«

»Aber der König sagte mir, ...«

»Ein König besitzt nichts. Er regiert. Das ist etwas anderes.«

»Was hast du davon, die Sterne zu besitzen?«

»Dann bin ich reich.«

»Was ist der Nutzen davon, wenn du reich bist?«

»latlh Hovmy vIje'laH, bIH tu'DI' vay'.« DaH ja''egh ta'puq mach: loQ chechwI' rur ghotvetlh, jatlhtaHvIS.

'ach ngugh gheltaH ghaH:

»chay' Hov ghajlaH vay'?«

»bIH ghaj 'Iv?« jang 'I'SeghIm Dabogh Suy.

»jISovbe'. bIH ghaj pagh.«

»vaj vIghaj jIH, bIH ghaj neHbogh ghot wa'DIch jIH.«

»yap'a'?«

»yapbej. naghboch'e' ghajbe'bogh vay' DaSamchugh, vaj 'oH Daghaj SoH. 'ambay'e' ghajbe'bogh vay' DaSamchugh, vaj 'oH Daghaj SoH. qech SamwI' wa'DIch SoHchugh, 'ej 'oH DaqonmoHchugh, vaj 'oH Daghaj SoH. 'ej Hovmey vIghaj jIH, vIghajpa' jIH, bIH ghajbe'ba'mo' vay'.«

»lughlaw'«, ja' ta'puq mach. »DaghajDI', chay' bIH Dalo'?«

»bIH vIloH. vItogh, ghIq vItoghqa'.« ja' Suy. »ngeDbe'. 'ach loD Sagh jIH.«

wej yon ta'puq mach. Ha'quj vIghajchugh, vaj mongwIjDaq vItuQlaH 'ej vIqenglaH. 'InSong vIghajchugh, vaj 'oH vItlhaplaH 'ej vIqenglaH. 'ach Hovmey DatlhaplaHbe' SoH!«

»Qo'. 'ach beylI'Daq bIH vIpollaH.«

»jIyajbe'. HIchuH!«

»HovmeywIj vItoghta'DI' vaj navHomvamDaq mI' vIghItlh. ghIq bo'voDDaq 'oH vIlan.«

»yap'a'?«

»yapbej.«

tlhaQbej 'e' Qub ta'puq mach. tlhoS ghuQ rur mIwvetlh. 'ach Saghchu' lutvam 'e' HarlaHbe' ghaH.

»Dann kann ich andere Sterne kaufen, sobald sie jemand entdeckt.« Jetzt sagte sich der kleine Prinz: Diese Person spricht ein wenig so wie der Betrunkene.

Aber dann fragte er weiter:

»Wie kann jemand einen Stern besitzen?«

»Wer besitzt sie denn?«, fragte der grimmig wirkende Geschäftsmann.

»Ich weiß es nicht. Niemand besitzt sie.«

»Dann besitze ich sie, denn ich war der Erste, der auf die Idee kam, sie zu besitzen.«

»Reicht das?«

»Das reicht sicher. Wenn du einen Edelstein findest, der niemandem gehört, dann gehört er dir. Wenn du eine Insel findest, dann gehört sie dir. Wenn du der Erste bist, der eine Idee hat und du sie aufschreiben lässt, dann besitzt du sie. Und ich besitze die Sterne, weil sie vor mir noch niemand besessen hatte.«

»Das scheint richtig zu sein«, sagte der kleine Prinz. »Wenn du sie hast, was machst du dann damit?«

»Ich verwalte sie. Ich zähle sie, dann zähle ich sie nochmal.«, sagte der Geschäftsmann. »Das ist nicht einfach. Aber ich bin ein ernster Mann.«

Der kleine Prinz war noch nicht zufrieden. »Wenn ich eine Schärpe besitze, kann ich sie mir um den Hals legen und sie tragen. Wenn ich eine Blume habe, kann ich sie aufheben und mitnehmen. Aber du kannst deine Sterne nicht mitnehmen!«

»Nein. Aber ich kann sie in die Bank legen.«

»Ich verstehe nicht. Erkläre!«

»Sobald ich meine Sterne gezählt habe, schreibe ich die Zahl auf dieses Papier. Danach lege ich es in die Schublade.«

»Genügt das?«

»Es genügt sicher.«

Der kleine Prinz dachte, dass dies wirklich witzig war. Diese Vorgehensweise ähnelt fast einem Gedicht. Aber er konnte nicht glauben, dass diese Geschichte wirklich ernst war.

Dochmey potlh buStaHvIS, pImbej ta'puq mach mIw, nenwI' mIw je.

»'ej«, chel ghaH, »'InSong vIghaj, Hoch jaj 'oH vIyIQmoH. wej qulHuDmey vIghaj, Hoch Hogh bIH vISay'moH. Qongbogh qulHuD vISay'moH je. tuch SovlaHbe' vay'. qulHuDwIjvaD, 'InSongwIjvaD QaQqu' ghu' bIH vIghajmo'. 'ach HovmeylIjvaD bIlI'be' ...«

nujDaj poSmoH Suy, 'ach janglaHbe'mo', tam. ghIq mej ta'puq mach.

taQqu'bej nenwI'pu' ja''egh ta'puq mach, lengtaHvIS.

wa'maH loS

taQbej yuQ vaghDIch. yuQvam mach law' Hoch mach puS. wovmoHwI'vaD, qul chu'wI'vaD je yap neH yuQ.

chalDaq qach Hutlhbogh 'ej wa' rewbe' neH ghajbogh yuQDaq wovmoHwI', qul chu'wI' je poQlu' 'e' yajlaHbe' ta'puq mach. ghIq QubchoH:

chaq loQ maw' loDvam. 'ach voDleH, 'IHwI', Suy, tlhutlhwI' je maw' law', loDvam maw' puS. lI'bej Qu'Daj chavbogh. wovmoHwI'Daj chu'DI', vaj qo'Daq Hov chu' chenmoHlaw', chaq vabDot 'InSong chenmoH. wovmoHwI'Daj chu'Ha'DI', vaj QongchoH Hov, 'InSong joq. 'IHqu' Qu'vetlh. 'ej 'IHmo', lI'qu' 'oH.

yuQDaq pawDI' vaj wovmoHwI' chu'wI' vanchu'.

»qavan. qatlh wovmoHwI'lIj Dachu'Ha'ta'?«

»chut 'oH.«, jang chu'wI'. »maj, pem.«

»chut 'oH nuq'e'? HIchuH.«

Während er über wichtige Sachen nachdachte, war die Vorgehensweise des kleinen Prinzen anders als die der Erwachsenen.

»Und«, fügte er hinzu, »ich besitze eine Blume, ich befeuchte sie jeden Tag. Ich besitze drei Vulkane, ich reinige sie jede Woche. Ich reinige auch den schlafenden Vulkan. Niemand kann die Zukunft kennen. Für meine Vulkane und meine Blume ist die Situation sehr gut, weil ich sie besitze. Aber für deine Sterne bist du nicht nützlich ...«

Der Geschäftsmann öffnete den Mund, aber da er nicht antworten konnte, blieb er leise. Dann ging der kleine Prinz.

Die Erwachsenen sind wirklich sehr seltsam, sagte sich der kleine Prinz, während er weiterreiste.

XIV

Der fünfte Planet war wirklich sehr seltsam. Es war der kleinste Planet von allen. Der Planet reichte nur für einen Feueranzünder und eine Leuchte.

Der kleine Prinz konnte nicht verstehen, warum man im Himmel auf einem Planeten, der nur einen Einwohner und kein Gebäude hatte, eine Leuchte und einen Feueranzünder braucht. Dann dachte er nach:

Vielleicht ist dieser Mann ein wenig verrückt. Aber dieser Mann ist weniger verrückt als der König, der Schönling, der Geschäftsmann und der Trinker. Die Aufgabe, die er vollbringt, ist sicher nützlich. Sobald er seine Leuchte zündet, erzeugt er in der Welt einen neuen Stern, vielleicht erschafft er sogar eine Blume. Sobald er seine Leuchte ausschaltet, dann beginnt der Stern oder die Blume zu schlafen. Diese Aufgabe ist sehr schön. Und weil sie schön ist, ist sie nützlich.

Als er auf dem Planeten ankam, grüßte er den leuchten Anzünder.

»Ich grüße dich. Warum hast du deine Leuchte ausgemacht?«

»Es ist das Gesetz«, antwortete der Anzünder. »Gut, es ist Tag.«

»Was ist das Gesetz? Kläre mich auf.«

»wovmoHwI' chu'Ha'meH Qu' 'oH chut'e'. maj, ram.«

ghIq 'oH chu'qa'.

»'ach qatlh DaH 'oH Dachu'qa'?«

»chut 'oH.«, jang chu'wI'.

»jIyajbe'.«, jatlh ta'puq mach.

»pagh yajnISlu'« jatlh chu'wI'. »chut 'oH chut'e' jay'. maj, pem.«

ghIq wovmoHwI' chu'Ha'. QuchDaj QaDmoHwI' DIrHom Doq lo'.

»Qu' qabqu' vIta'taH. poH nI' ret lI'qu' Qu'wIj: taghDI' po wovmoHwI' vIchu'Ha', 'ej DorDI' pem 'oH vIchu'qa'. qaStaHvIS chuvbogh poH jIleSlaH 'ej qaStaHvIS chuvbogh ram jIQonglaH ...«

»'ej DaHjaj chut choHlu'a'?«

»not chut choHlu'« jatlh chu'wI'. »ngoDvammo' 'IQ ghu. DorDI' DIS vorgh, nom jIrchoH 'ej jIrqu'choH yuQ, qaSDI' DIS veb, nom jIrqu'. 'ach choHbe' mIwwIj'e' ra'lu'bogh.

»Das Gesetz ist es, die Leuchte auszumachen. Gut, es ist Nacht.«
Dann zündete er sie wieder an.

»Aber warum zündest du sie wieder an?«

»Es ist das Gesetz«, antwortete der Anzünder.

»Ich verstehe nicht.«, sagte der kleine Prinz.

»Man muss nichts verstehen«, sagte der Anzünder. »Es ist das
verdammte Gesetz. Gut, es ist Tag.«

Dann löschte er die Leuchte wieder. Er benutzte ein rotes Tuch,
um seine Stirn zu trocknen.

»Ich verrichte eine sehr böse Aufgabe. Vor langer Zeit war meine
Aufgabe sehr nützlich: Sobald der Morgen begann, machte ich das
Licht aus und sobald der Tag zu Ende ging, zündete ich sie wieder
an. Während der restlichen Zeit konnte ich mich ausruhen und
während der restlichen Nacht konnte ich schlafen ...«

»Und wurde das Gesetz heute geändert?«

»Das Gesetz wurde nie geändert« sagte der Anzünder.
»Deswegen ist die Situation so traurig. Als das Jahr zu Ende war,
begann der Planet sich schnell zu drehen und dann noch schneller,
als das vorige Jahr vorüber war, dreht er sich ganz schnell. Aber
die mir genannte Vorgehensweise wurde nicht geändert.

»vaj?«, ghel ta'puq mach.

»vaj DaH, jIrchu'meH wa' tup neH poQmo' yuQ, jIleSmeH poH vIghajbe'. qaStaHvIS wa' tup, Hoch qul vIchu', 'ej vIchu'Ha'!«

»tlhaQqu'! ngajqu' jajlIj, wa' tup rur!«

»tlhaQbe'bej«, ja' qul chu'wI'. »naDev majatlhtaHvIS Dorpu' wa' jar.«

»wa' jar?«

»bIyajqu': wejmaH tup - wejmaH jajmey! maj, ram.«

'ej wovmoHwI' chu'qa'.

ghaH bejtaHqu' ta'puq mach. chu'wI'vam muSHa'qu', matlhtaHvIS chutDaj pabchu'mo'. ghaHvaD tlhommeyDaj chum nejta'bogh qawmoH. bIHmo' quSDaj vIHmoHta'. jupDaj QaH neHbej ghaH:

»yIqIm ... bIleSlaHmeH mIw vIghaj 'e' vIQub, bIleS DaneHDI' ...«

»reH vIneH«, ja' chu'wI'.

buDlaHbej matlhwI' 'e' vISov. jatlhtaH ta'puq mach:

»machqu'mo' yuQlIj, wejlogh neH bISupDI', Hoch Dalengta'. vaj QIt bIghoStaHvIS, reH julwovDaq SoHtaH. bIleS DaneHDI', bIyItnIStaHqu', 'ej neT Dor jaj.«

»lI'be' mIw Dachupbogh«, ja' chu'wI', »jIQongchu' vIneH neH.«

»vaj QaplaHbe'«, ja' ta'puq mach.

»QaplaHbe'«, jatlh qul chu'wI'. »maj, pem.«

'ej wovmoHwI' chu'Ha'.

lengDaj ghoStaHvIS, QubchoH ta'puq mach. loDvetlh luvuvHa'bej Hoch, luvuvHa' voDleH, 'IHwI', chechwI', Suy je. 'ach loDvetlh neH vIvaqbe' jIH. chaq qaS wanI', latlh Dochmey buSmo' ghaH, 'ach buS'eghbe'.

rechDI', paywI' rur. 'ej jatlh'egh:

»Also?«, fragte der kleine Prinz.

»Also jetzt, da der Planet nur eine Minute braucht, um sich zu drehen, habe ich keine Zeit um mich auszuruhen. Während einer Minute muss ich alle Feuer löschen und wieder anzünden!«

»Das ist ja lustig! Dein Tag dauert nur eine Minute!«

»Das ist gar nicht lustig«, sagte der Anzünder. »Während wir uns hier unterhielten ist ein Monat vorbeigegangen.«

»Ein Monat?«

»Du versteht sehr wohl: dreißig Minuten – dreißig Tage! Gut, es ist Nacht.«

Und er zündete die Leuchte wieder an.

Der kleine Prinz schaute ihn genau an. Er liebte diesen Anzünder, weil er sich so loyal an sein Gesetz hielt. Er erinnerte ihn an seine Sonnenuntergänge, die er gesucht hatte. Wegen ihnen hatte er seinen Stuhl verschoben. Er wollte seinem Freund helfen:

»Pass auf ... Ich denke ich habe einen Weg gefunden, wie du eine Pause machen kannst, sobald du eine Pause machen möchtest ...«

»Das will ich immer«, sagte der Anzünder.

Ich weiß, dass jemand Loyales auch gleichzeitig faul sein kann. Der kleine Prinz sprach weiter:

»Da dein Planet sehr klein ist, musst du nur dreimal hüpfen, um alles bereist zu haben. Wenn du also langsam gehst, wirst du immer im Sonnenlicht bleiben. Sobald du eine Pause machen möchtest, musst du nur weitergehen und der Tag endet nie.«

»Deine vorgeschlagene Vorgehensweise ist nicht nützlich«, sagte der Anzünder, »Ich will nur richtig schlafen.«

»Dann kann es nicht klappen«, sagte der kleine Prinz.

»Es kann nicht klappen«, sagte der Anzünder. »Gut, es ist Tag.«

Und er löschte die Leuchte.

Während er seine Reise fortsetzte, fing der kleine Prinz an, nachzudenken. Dieser Mann wird bestimmt von allen verachtet; der Händler, der Trinker, der Schönling und der König werden ihn sicher verachten. Aber ich lache nur diesen Mann nicht aus. Vielleicht passiert das, weil er auf andere Sachen achtet, aber nicht auf sich selbst.

Er atmete aus wie jemand, der etwas bedauert. Und er sagte zu sich selbst:

ghotvetlh neH jupwIj vImojmoH 'e' vIlajlaH. 'ach tlhoy machqu'
yuQDaj. cha'vaD yapbe' rav …

yuQvam machmo' 'IQtaH 'e' chIDchu' 'e' ngIlbe'bej ta'puq mach.
qaStaHvIS cha'maH loS rep qaSbogh wa'SaD loSvatlh loSmaH
tlhommey chum'e' leghlaHqu'taHbe'mo' 'IQlaw' ghaH!

wa'maH vagh

wa'maH yuQ 'ab yuQ javDIch. 'oH Dab paqmey tInqu'Daq
ghItlhtaHbogh loD'e' qan.

»toH! QulwI'!« jach ghaH, ta'puq mach tu'DI'.

raS retlhDaq ba' ta'puq mach 'ej loQ leS ghaH. tIqqu'taH
lengDaj.

»Daq DaDabbogh yIngu'!« ghel loD qan. »nuq 'oS paqvetlh
qargh?« ghel ta'puq mach. »Qu'lIj yIngu'!«

»yuQtej jIH«, jatlh loD qan.

»nuq 'oH yuQtej'e'?«

»HanwI' ghaH yuQtej'e'. bIQ'a'mey, bIQtIqmey, vengmey,
HuDmey, Debmey je Sov HanwI'vam.«

»Dajchu'«, jatlh ta'puq mach. »tagha' Qu'na' vItu'.«

Ich kann nur bei dieser Person akzeptieren, dass er mein Freund wird. Aber sein Planet ist viel zu klein. Der Boden reicht nicht für zwei Personen ...

Der kleine Prinz wagte es nicht, zuzugeben, dass er wegen des kleinen Planeten taurig war. Er war scheinbar traurig, weil es auf dem Planeten innerhalb vierundzwanzig Stunden tausendvierundvierzig Sonnenuntergänge gab, die er nicht sehen konnte.

XV

Der sechste Planet hatte die Abmessung von zehn Planeten. Ihn bewohnte ein alter Mann, der in große Bücher schrieb.

»Ah, ein Forscher!«, schrie er, als er den kleinen Prinzen bemerkte.

Der kleine Prinz setzte sich neben den Tisch und ruhte sich kurz aus. Seine Reise war sehr lang gewesen.

»Nenne mir deinen Wohnort!«, befahl der alte Mann. »Was bedeutet dieses dicke Buch?«, fragte der kleine Prinz. »Nenne mir deine Aufgabe!«

»Ich bin ein Geograf«, sagte der alte Mann.

»Was ist ein Geograf?«

»Ein Geograf ist ein Gelehrter. Dieser Gelehrte kennt die Meere, Flüsse, Städte, Berge und Wüsten.«

»Wirklich interessant«, sagte der kleine Prinz. »Endlich habe ich einen richtigen Beruf gefunden.«

ghIq yuQtej yuQ nuDchu'. not yuQvam rurbogh yuQ'e' leghpu'. Dun 'oH.

»IHqu' yuQlIj. pa' bIQ'a' tu'lu''a'?«

»De'vam vISovlaHbe'«, jatlh yuQtej.

»toH!« belHa' ta'puq mach.»HuD tu'lu''a'?«

»De'vam'e' vISovlaHbe' je«, jatlh yuQtej.

»'ach yuQtej SoH! - veng, bIQtIq, Deb?«

»De'vam'e' vISovlaHbe' je.«

»'ach yuQtej SoH!«

»bIlugh«, jatlh yuQtej, »'ach QulwI' jIHbe'. QulwI' DIHutlhchu'. toghbe' yuQtej; vengmey, bIQtIqmey, HuDmey, ngengmey, bIQ'a'mey, Debmey je toghbe' ghaH. leng yuQtej net jalchugh, SovDaj potlh lo'Ha'lu'. raSDaj mejbe'. 'ach QulwI' ghom ghaH. chaH yu' 'ej vuDmeyDaj qon. 'ej yuQtejvaD DajchoHchugh QulwI' vuDmey, vaj bIH nuDmeH Qu' qaSmoH yuQtej.«

»qatlh?«

»yuQQeD paqmeyDaq Qughmey chenmoHlaH nepbogh QulwI'. 'oH chavlaH tlhoy tlhutlhbogh QulwI' je.«

»chay'?«, ghel ta'puq mach.

Dann untersuchte er den Planeten des Geografen etwas genauer. Er hatte nie einen Planeten wie diesen gesehen. Er war großartig.

»Dein Planet ist sehr schön. Gibt es dort einen Ozean?«

»Das kann ich nicht wissen«, sagte der Geograf.

»Ach!« Der kleine Prinz war enttäuscht.»Gibt es Berge?«

»Das kann ich auch nicht wissen«, sagte der Geograf.

»Aber du bist doch ein Geograf! - Städte, Flüsse, Wüsten?«

»Auch das kann ich nicht wissen.«

»Aber du bist doch ein Geograf!«

»Du hast Recht«, sagte der Geograf, »aber ich bin kein Forscher. Es fehlt uns komplett an Forschern. Geografen zählen nicht; sie zählen weder die Städte, Flüsse, Berge, Seen, Ozeane noch Wüsten. Wenn man sich vorstellt, dass der Geograf reist, dann wäre sein wichtiges Wissen verschwendet. Er verlässt den Tisch nicht. Aber er trifft sich mit den Forschern. Er befragt sie und schreibt ihre Meinungen auf. Und falls die Meinungen der Forscher für den Geografen interessant werden, dann veranlasst der Geograf eine Mission, diese zu untersuchen.«

»Warum?«

»Ein lügender Forscher kann in Geografiebüchern Katastrophen verursachen. Das kann auch ein Forscher, der zuviel trinkt.«

»Wie?«, fragte der kleine Prinz.

»cha'logh leghmo' chechwI'pu'. vaj cha' HuD qon yuQtej, 'ach wa' neH tu'lu'.«

»vay' vISov ...«, jatlh ta'puq mach, »QulwI' qab ghaHbej.«

»qItbej. 'ach loy'law'chugh QulwI', Doch'e' tu'bogh ghaH Qullu'chu'.

»vaj 'oH 'ollu'?«

»ghobe'. tlhoy Qatlh mIwvetlh. 'ach ngerDaj tob QulwI' net poQ. HuD tIn tu' 'e' maq QulwI' net jalchugh, vaj naghmey tIn qem net poQ.«

pay' tIw yuQtej.

»Daq Hopvo' bIlengpu' SoH'e'! QulwI' SoHba'! yuQlIj yIDel!«

paqDaj poSmoH 'ej ghItlhwI'Daj jejmoH.

tej lutmey qonlu'meH, bI'reS ghav ghItlhwI' lo'lu'. teH lutmeyDaj 'e' toblu'DI' neH, vaj bIH qonmeH rItlh lo'lu'.

»yIjatlh.« tlhob yuQtej.

»juHwIjDaq«, jatlh ta'puq mach, »qaSbe' wanI' law', pa' mach Hoch. wej qulHuDmey vIghaj. yIn cha' qulHuDmey, Heghpu' wa'. 'ach Heghchu' net SovlaHbe'.«

»net SovlaHbe'.« jatlhqa' yuQtej.

»'InSong vIghaj je.«

»'InSong DIqonbe'«, jatlh yuQtej.

»qatlh? bIH 'IH law' Hoch 'IH puS!«

»ru'mo' 'InSong.«

»nuq 'oS ru'?«

»yuQQeD paqmey«, jang yuQtej, »lo'laH law' Hoch paq lo'laH puS. not notlhchoH. pIjHa' leng HuD. pIjHa' chIm'eghmoH bIQ'a'. Dochmey ru'Ha' DIqon maH.«

ghaH qagh ta'puq mach: »'ach chaq vemqa' Heghpu'bogh qulHuDmey. nuq 'oS ru'?«

»maHvaD pImbe' Heghpu'bogh, yInbogh qulHuDmey je.«, ja' yuQtej. »maHvaD potlh HuD neH. choHbe' 'oH.«

»Weil ein Betrunkener doppelt sieht. Also zeichnet der Geograf zwei Berge, aber es gibt nur einen.«

»Ich kenne jemanden ...«, sagte der kleine Prinz, »der ist sicher ein schlechter Forscher.«

»Das ist sicher möglich. Aber wenn ein Forscher anscheinend eine starke Persönlichkeit hat, wird das, was er entdeckt hat, gründlich untersucht.«

»Wird es dann überprüft?«

»Nein. Dieser Vorgang wäre zu schwierig. Aber man verlangt, dass der Forscher seine Theorie beweist. Wenn man sich vorstellt, dass der Forscher einen großen Berg entdeckt hat, dann verlangt man, dass er große Steine bringt.«

Plötzlich reagiert der Geograf emotional.

»Du bist von einem weit entfernten Ort angereist! Du bist offensichtlich ein Forscher! Beschreibe deinen Planeten!«

Er öffnete sein Buch und spitzte seinen Stift.

Um Geschichten eines Wissenschaftlers zu notieren, verwendet man immer erst einen Schreiber aus Kohle. Erst sobald bewiesen wurde, dass die Geschichte wahr ist, verwendet man Farbe.

»Sprich.«, verlangte der Geograf.

»Bei mir Zuhause«, sagte der kleine Prinz, »passiert nicht viel Besonderes. Dort ist alles klein. Ich besitze drei Vulkane. Zwei Vulkane leben, einer ist gestorben. Aber man kann nicht wissen, ob er wirklich tot ist.«

»Man kann nicht wissen«, wiederholte der Geograf.

»Ich besitze auch eine Blume.«

»Wir notieren keine Blumen«, sagte der Geograf.

»Warum? Sie sind schöner als alles andere!«

»Weil eine Blume vergänglich ist.«

»Was bedeutet vergänglich?«

»Die Geografiebücher«, antwortete der Geograf, »sind nützlicher als alle anderen Bücher. Sie werden nie überholt. Ein Berg wandert selten. Ein Ozean leert sich selten. Wir notieren nur dauerhafte Sachen.«

Der kleine Prinz unterbrach ihn: »Aber vielleicht erwachen die schlafenden Vulkane wieder. Was bedeutet vergänglich?«

»Für uns sind schlafende und lebende Vulkane nicht unterschiedlich«, sagte der Geograf. »Für uns ist nur der Berg wichtig. Er ändert sich nicht.«

»'ach nuq 'oS ru'?« ghelqa' ta'puq mach. ghelchugh ghaH, vaj janglu' neHbej ghaH.

»tugh ngab 'oS mu'vetlh.«

»tugh ngab'a' 'InSongwIj?«

»teHbej.«

ru'ba' 'InSongwIj 'e' Qub ta'puq mach, 'ej HubmeH loS DuQwI' neH ghaj! 'ej DaH juHwIjDaq mobchu' ghaH!

DaH ghu' paychoHlaw' ghaH. 'ach nom yoHqa'.

»nuq 'oH ghochwIj'e' Dachupbogh?« ghel ghaH.

»tera' yuQ 'oH«, jang yuQtej, »QaQchu' net jatlh ...«

ghIq lengDaj tagh ta'puq mach, 'ej 'InSongDaj buS.

84

»Was bedeutet vergänglich?«, fragte der kleine Prinz nochmal. Falls er etwas fragte, wollte er auch, dass es beantwortet wurde.

»Das Wort bedeutet, dass es bald verschwindet.«

»Wird meine Blume bald verschwinden?«

»Das ist sicher wahr.«

Meine Blume ist offenbar vergänglich, dachte der kleine Prinz, und sie hat nur vier Dornen, um sich zu verteidigen! Und jetzt ist sie ganz alleine in meinem Zuhause!

Jetzt begann er die Situation zu bereuen. Er wurde aber schnell wieder tapfer.

»Was ist das Ziel, das du empfiehlst?«, fragte er.

»Es ist der Planet Erde«, antwortete der Geograf, »Man sagt, er sei sehr gut ...«

Danach begann der kleine Prinz seine Reise und dachte an seine Blume.

wa'maH jav

tera' 'oH yuQ SochDIch'e'.

yuQ motlh 'oHbe'bej tera''e'! pa' wa'vatlh wa'maH wa' voDleH lutoghlu', 'avrIqa' voDleH lIjbe'lu'chugh. Soch SaD yuQtej, HutbIp Suy, Soch vI' vagh 'uy' chechwI', wejvatlh wa'maH wa' 'uy' 'IHwI', nom – cha'SanID 'uy' ghot nen.

tera' tIntaHghach vIDelchu'meH, vay' vIja'nIS. 'ul 'oghlu'pa', Hoch jav yuweyDaq wovmoHwI' chu'wI' law' lutu'lu'. ngugh loSbIp javnetlh cha'SaD vaghvatlh wa'maH wa' chu'wI' yugh chu'wI' mangghomvam'e'.

HopDI' bejwI', vaj ghaHvaD Dunlaw' ghu'. vIHtaHvIS mangghomvam, vaj qeqbogh ghe'naQ mI'wI' ghom rur. wovmoHwI' chu'wI' wa'DIch chaH nu'SIylan 'aSralya' je chu'wI'pu''e'. wovmoHwI'Daj chu'ta'DI', vaj QongchoH chaH. ghIq mI'choH jungwoq, nIpon je chu'wI'. Qu'Daj chavta'DI', mej chaH je. ghIq nargh raSya', barat je wovmoHwI' chu'wI'. vebwI' chaH 'avrI'qa', 'ewrop' je chu'wI'pu''e'. ghIq 'amerI'qa' tIng chan tIng. ghIq 'amerI'qa' 'ev chan 'ev. 'ej not muchmeH mIwDaj lumISmoH. Dunqu'.

yIn ghanHa' luyIn yuQ pIrmuS wovmoHwI' mob chu'wI', yuQ yor wovmoHwI' mob chu'wI' je: qaStaHvIS wa' DIS cha'logh neH vumnIS.

XVI

Der siebte Planet war die Erde.

Die Erde war sicherlich kein gewöhnlicher Planet. Dort wurden hundertelf Könige gezählt, wenn man die Könige Afrikas nicht vergisst. Siebentausend Geografen, neunhunderttausend Geschäftsleute, sieben Komma fünf Millionen Betrunkene, dreihundertelf Millionen Schönlinge - schnell: zweitausend Millionen erwachsene Personen.

Um die Größe der Erde richtig zu beschreiben, muss ich etwas erzählen. Bevor der Strom erfunden war, gab es auf allen sechs Kontinenten viele Leuchten-Anzünder. Diese Armee von Zündern bestand aus vierhundertzweiundsechzigtausendfünfhundertelf Anzündern.

Die Situation schien prächtig für ihn, wenn ein Beobachter weit weg war. Während diese Armee sich bewegte, ähnelte sie einer übenden Opern-Tanzgruppe. Die Anzünder von Australien und Neuseeland waren die ersten Leuchten-Anzünder. Sobald sie die Leuchten angezündet hatten, gingen sie schlafen. Dann begannen die Anzünder von Japan und China zu tanzen. Sobald sie ihre Aufgabe erfüllt hatten, gingen auch sie wieder. Dann traten die Leuchten-Anzünder von Russland und Indien auf. Die Anzünder von Europa und Afrika waren die Nächsten. Dann folgte Südamerika. Dann Nordamerika. Und nie kamen sie in ihrer Reihenfolge durcheinander. Es war großartig.

Der Anzünder der einsamen Leuchte auf der Oberseite des Planeten und der Anzünder der einzigen Leuchte auf der Unterseite des Planeten lebten ein sehr ruhiges Leben: Während eines Jahres mussten sie nur zwei Mal arbeiten.

lut Daj qonlu'DI', rut loQ lachlu'. tlhIHvaD wovmoHwI' chu'wI'pu' vIDeltaHvIS, jIvItchu'be'. chaq yuQmaj Sovbe'bogh nuvpu'vaD yuQmaj 'oSbogh qech muj vIDel. tera'Daq 'olQan law' lu'uchbe' Humanpu'. lopno' DataHvIS Qamchu' tera' Dabbogh Hoch cha' SanID 'uy' Humanpu' net jalchugh, tlhopDaq ghomlaH chaH, 'ej jav 'uj'a' juch 'ej jav 'uj'a' 'aD tlhopvetlh. vaj 'antartIqDaq 'ambay machqu'Daq Hoch Humanpu' So'laH vay'.

ngoDvetlh luHarbe'bej nenwI'pu'. 'olQan law' lupoQ 'e' lujal chaH. potlh chaH; bewbeb lurur 'e' luHar. vaj ngoDHomvetlh luSIm chaHvaD 'e' yIchup. mI'mey luHo', vaj Qu'vetlh lutIvbej. 'ach Dochvetlh SImmeH poH yIweSQo'. lI'be'. tuvoqbej.

qen tera'Daq ghaHtaHvIS loQ mIS ta'puq mach, pagh ghot leghmo'. yuQ muj Suchta' 'e' SIv, 'ach ghIq rav QaDDaq vIH maS'e' So'be'bogh QIb rurbogh gho.

»yIqIm«, jatlh ta'puq mach.

»nuqneH«, ghel ghargh.

»nuq 'oH yuQvam pong'e'?« ghel ta'puq mach.

»tera'Daq SoHtaH, 'avrI'qa' Sep 'oH«, jang ghargh.

»Ah! ... vaj tera' Dab'a' pagh?«

»naDev DebDaq SoHtaH. Deb Dab pagh. tInqu' tera'« jatlh ghargh.

naghDaq ba' ta'puq mach 'ej chalDaq mInDu'Daj Qeq.

»rut jISIv«, jatlh, »yuQDaj SamlaHmeH vay' wov'a' Hovmey? yuQwIj yIbej. DaH maH DungDaq 'oHtaHqu' ... 'ach Hopqu' 'oH!«

»'IHbej«, jatlh ghargh. »naDev Qu'lIj yIngu'.«

XVII

Wenn eine interessante Geschichte verfasst wird, dann wird häufig übertrieben. Während ich euch den Leuchten-Anzünder beschrieben hatte, habe ich nicht ganz die Wahrheit gesagt. Vielleicht habe ich den Leuten, die unseren Planeten nicht kennen, eine falsche Idee beschrieben, die unseren Planeten darstellt. Auf der Erde besetzen die Menschen nicht viel Platz. Wenn man sich vorstellt, dass alle zweitausend Millionen Menschen, die die Erde bewohnen, während einer Feier aufrecht stehen, können sie sich auf einem öffentlichen Platz versammeln und dieser Platz würde nur sechs Udsch'ah in der Breite und sechs Udsch'ah in der Länge messen. Also kann jemand die gesamte Menschheit auf einer Insel in der Antarktis verstecken.

Die Erwachsenen glauben sicher nicht an diese Tatsache. Sie stellen sich vor, dass sie viel Platz benötigen. Sie glauben, sie seien so wichtig wie ein Affenbrotbaum. Also schlagt ihnen einfach vor, dass sie diese Tatsache nachrechnen. Sie bewundern Zahlen, also werden sie Spaß an dieser Aufgabe haben. Aber verschwendet keine Zeit, um diese Sache auszurechnen. Es ist sinnlos. Ihr vertraut mir.

Als der kleine Prinz neulich auf der Erde war, war er ein wenig verwirrt, da er niemanden gesehen hatte. Er fragte sich, ob er den falschen Planeten besucht habe, aber dann bewegte sich auf dem trockenen Boden ein Kreis, der dem Mond ähnelte.

»Pass auf«, sagte der kleine Prinz.

»Was willst du?«, fragte die Schlange.

»Was ist der Name dieses Planeten?«, fragte der kleine Prinz.

»Du bist auf dem Planeten Erde, es ist die Region Afrika«, antwortete die Schlange.

»Ah! ... Also wohnt niemand auf der Erde?«

»Du bist hier in der Wüste. Niemand wohnt in der Wüste. Die Erde ist groß«, sagte die Schlange.

Der kleine Prinz setzte sich auf einen Stein und zielte mit seinen Augen auf den Himmel.

»Ich wundere mich immer«, sagte er, »leuchten die Sterne, damit jemand seinen Planeten findet? Schau dir meinen Planeten an. Er ist jetzt genau über uns ... Aber er ist sehr weit!«

»Er ist wirklich sehr schön«, sagte die Schlange. »Nenne mir deine hiesige Aufgabe.«

»qay' wa' 'InSong.« jatlh ta'puq mach.

»toH!« jatlh ghargh.

'ej tamtaH chaH.

»nuqDaq chaHtaH Humanpu''e'?« tagha' jatlhtaH ta'puq mach. »DebDaq loQ moblu'law' ...«

»Humanpu'Daq moblu' je«, jatlh ghargh.

ghaH bejtaHqu' ta'puq mach.

»Ha'DIbaH tlhaQ SoH«, ghIq jatlh, »nItlh Darur ...«

»'ach nItlh vIrurbogh HoSghaj law' voDleH nItlh HoSghaj puS«, jatlh ghargh.

monchoH ta'puq mach.

»bIHoSghajbe' ... qamDu' Daghajbe' ... vaj bIlenglaHbe' ...«

»qaqemtaHvIS chuqwIj tIq law' Duj chuq tIq puS.«, ja' ghargh. ta'puq mach ngIb DechtaHvIS, ghIgh rurqu'.

»vay' vIHotDI', vaj tera'vaD narghta'bogh ghaH, vInobqa'.«, chel ghaH. »'ach bInItlaw', Hov 'oH munglIj'e' ...«

jangbe' ta'puq mach.

»SoH'e', pujwI' SoHmo', nagh let yughbogh tera'vam DaDabtaHvIS, SoH qavup. wa' jaj chaq qaboQlaH, yuQlIj Dachegh tlhoy DaneHDI'. chaq jI ...«

»toH, jIyajchu'qu'« ja' ta'puq mach, »'ach bIjatlhtaHvIS, qatlh reH bISorHa'?«

»jISorchoHlaH«, ja' ghargh. 'ej tamtaH chaH.

»Eine Blume macht Probleme.«, sagte der kleine Prinz.

»Ah!«, sagte die Schlange.

Und sie schwiegen.

»Wo sind die Menschen?«, fragte der kleine Prinz endlich. »In der Wüste ist man scheinbar einsam ...«

»Bei den Menschen ist man auch einsam«, sagte die Schlange.

Der kleine Prinz schaute sie genau an.

»Du bist ein witziges Tier«, sagte er dann, »Du bist wie ein Finger ...«

»Aber dieser Finger ist mächtiger als der Finger eines Königs«, sagte die Schlange.

Der kleine Prinz lachte.

»Du bist nicht sehr mächtig ... Du hast keine Füße ... Also kannst du nicht reisen ...«

»Während ich dich trage, ist meine Reichweite länger als die Reichweite deines Schiffes«, sagte die Schlange. Sie umschlang den Knöchel des kleinen Prinzen wie eine Halskette.

»Sobald ich jemanden berühre, gebe ich ihn der Erde zurück, aus welcher er erschienen ist«, fügte sie hinzu. »Aber du scheinst sehr rein, deine Herkunft ist ein Stern ...«

Der kleine Prinz antwortete nicht.

»Ich bemitleide dich, du, der ein Schwächling ist, der auf dieser Erde lebt, die aus harten Felsen besteht. Eines Tages kann ich dir vielleicht helfen, wenn du nichts anderes willst, als auf deinen Planeten zurückzukehren. Vielleicht ...«

»Ach, ich verstehe wirklich gut«, sagte der kleine Prinz, »aber warum sprichst du immer metaphorisch?«

»Ich kann auch direkt sein«, sagte die Schlange. Und dann blieb sie still.

wa'maH chorgh

DebDaq leng ta'puq mach 'ej wa'' 'InSong neH qIH ghaH. wej pormey ghaj 'ej 'IQba' 'oH ...

»jIjatlhnIS«, jatlh ta'puq mach.

»nuqneH?«, jatlh 'InSong.

»nuqDaq chaHtaH nuvpu"e'?« ghel ta'puq mach.

'op ben lengbogh ghom leghpu' 'InSong.

»nuvpu'? naDev jav, chaq Soch tu'lu' 'e' vIHar. ben law' chaH vIleghpu'. 'ach DaqDaj SovlaHbe' vay'. chaH ghomHa'moH SuS. 'oQqarmey Hutlh, chaHvaD Do'Ha'qu' ngoDvam.«

»Qapla'«, jatlh ta'puq mach.

»Qapla'«, jatlh 'InSong.

wa'maH Hut

HuD jenqu' Sal ta'puq mach. naDev paw'pa', wej HuDmey neH Sov ghaH. qulHuDDaj bIH, 'ej qIvDaj SIchbe'. machqu'mo' Qongbogh qulHuD, ba'meH 'oH lo' ta'puq mach.

jenmo' HuDvam, naDevvo' Hoch nuvpu', yuQ Hoch je vIleghlaHbej, jatlh'egh ta'puq mach ... 'ach nagh'a'mey QInmey neH leghlaH.

XVIII

Der kleine Prinz reiste durch die Wüste und begegnete nur einer Blume. Sie hatte drei Blätter und war offenbar sehr schön ...

»Ich muss sprechen«, sagte der kleine Prinz.

»Was willst du?«, sagte die Blume.

»Wo sind die Menschen?«, fragte der kleine Prinz.

Die Blume hatte vor einigen Tagen eine reisende Gruppe gesehen.

»Menschen? Ich glaube, dass es hier sechs oder sieben gibt. Ich habe sie vor vielen Jahren gesehen. Aber niemand kann ihren Ort kennen. Der Wind zerstreut sie. Sie haben keine Wurzeln, dieses Detail ist für sie sehr ungünstig.«

»Erfolg«, sagte der kleine Prinz.

»Erfolg«, sagte die Blume.

XIX

Der kleine Prinz stieg auf einen sehr hohen Berg. Bevor er hier ankam, kannte er nur drei Berge. Es waren seine Vulkane und sie reichten nicht bis an seine Knie. Weil der schlafende Vulkan sehr klein war, benutzte der kleine Prinz ihn zum sitzen.

Da dieser Berg hoch ist, sagte sich der kleine Prinz, kann ich von hier alle Menschen und den ganzen Planeten beobachten ... Aber er konnte nur die Spitzen der Felsen sehen.

Do'meH, »nuqneH?« ja'.

»nuqneH ... nuqneH ... nuqneH ...«, jang muD.

»SoH 'Iv?«, ghel ta'puq mach.

»SoH 'Iv ... SoH 'Iv ... SoH 'Iv ...?«, jang muD.

»jup jIH, jImob«, jatlh.

»jImob ... mob ... mob ...« jang muD

Qub ta'puq mach. taQqu' yuQvam. QaDchu', letqu' 'ej na'chu' 'oH. valbe'law' ghotpu'. janglaHbe' chaH, jatlhlu'DI' jatlhqa' neH ...

juHwIjDaq 'InSong vIghaj: jIjatlhpa' jatlh 'oH ...

cha'maH

qaStaHvIS poH nI' lengta' ta'puq mach; lam juS, naghmey law' juS 'ej chuch juSta'. Do'qu', tagha' taw SIchta'. 'ej nuvpu'vaD luDev tawmeyvam.

»peqIm!« jatlh.

ro'Sa' Du' DunDaq ghaHtaH.

»nuqneH?«, jang ro'Sa'mey.

bIH nuD ta'puq mach. 'InSongDaj lururchu' Hoch.

»tlhIH 'Iv?« ghel mIStaHvIS.

»ro'Sa'mey maH«, jang ro'Sa'mey.

»toH!« jatlh ta'puq mach ...

DaH 'IQqu'choH ghaH. ghaHvaD ja'ta' 'InSongDaj: 'u'Daq 'oH rurbogh wa' 'InSong neH tu'lu'. 'ej DaH naDev wa' ngemHomDaq vagh SanID 'oH rurbogh 'InSongmey lutu'lu'!

Dochvam leghchugh vaj QeHchoHbej, jatlh'egh ta'puq mach ... ghIq tuSchu' 'oH 'ej Hegh 'e' ghet, vaj chaq vaqlu'be'. 'ej 'oH vIrach 'e' vIghetnISbej. jIghetbe'chugh, vaj Heghlaw' 'oH 'ej vItuHlu' je jIH...

»Was willst du?«, versuchte er sein Glück.

»Was willst du ... Was willst du ... Was willst du ...?«, antwortete die Luft.

»Wer bist du?«, fragte der kleine Prinz.

»Wer bist du ... Wer bist du ... Wer bist du ...?«, antwortete die Luft.

»Ich bin ein Freund. Ich bin alleine«, sagte er.

»Ich bin allein ... allein ... allein ...«, antwortete die Luft.

Dieser Planet ist sehr seltsam, dachte der kleine Prinz. Er ist sehr trocken, sehr hart und richtig salzig. Die Menschen scheinen nicht sehr schlau zu sein. Sie können nicht antworten und wenn sie antworten, dann sprechen sie nur nach ... Ich hatte zuhause eine Blume. Sie sprach immer, bevor ich sprach ...

XX

Der kleine Prinz reiste eine lange Zeit, er kam an Dreck vorbei, an vielen Steinen und über Eis. Zum Glück traf er irgendwann auf eine Straße. Und diese Straßen führen zu Menschen.

»Passt auf!«, sagte er.

Da war ein großartiger Rosengarten.

»Was willst du?«, antworteten die Rosen. Der kleine Prinz begutachtete sie. Sie ähnelten seiner Blume.

»Wer seid ihr?«, fragte er verwirrt.

»Wir sind Rosen«, antworteten die Rosen.

»Aha!«, sagte der kleine Prinz.

Jetzt wurde er sehr traurig. Seine Blume hatte zu ihm gesagt: Im ganzen Universum gibt es nur eine Blume wie mich. Und jetzt war hier plötzlich ein Wald von fünftausend Blumen wie sie!

Wie sie das sehen würde, wäre sie sehr böse, sagte sich der kleine Prinz ... Und dann hustete sie, als ob sie sterben würde und dann würde man nicht über sie lachen. Und ich müsste sicher so tun, als würde ich sie pflegen. Wenn ich das nicht täte, könnte sie wirklich sterben und dann müsste ich mich schämen ...

ghIq jatlh'egh ta'puq mach: reH jIHar: jImIplaw', wa' 'InSong le'qu' vIghajmo', 'ach ro'Sa' motlh neH vIghaj. wej qIvwIj SIchbogh qulHuDmey vIghaj je, 'ach Hoch Dochmeymo' ta'puq mach potlh jIHbe'ba'. ghIq magh yotlhDaq pum'eghmoH 'ej SaQchoH.

cha'maH wa'

ngugh nargh qeSHoS:

»yIqIm!« jatlh qeSHoS.

»nuqneH«, nom jang ta'puq mach. ghaH 'em bej 'ach pagh legh.

»naDev jIHtaH«, jatlh ghogh, »Sor bIngDaq ...«

»'Iv SoH?« ghel ta'puq mach. »bI'IHqu' ...«

»qeSHoS jIH«, jang qeSHoS.

»HItlhej, vaj maQuj ...«, 'e' chup ta'puq mach. »jI'IQ ...«

»QujmeH qatlhejlaHbe'«, ja' qeSHoS. »wej vItlhay'moHlu'!«

»toH. jIQoS« jatlh ta'puq mach.

loQ Qubta'DI' ghaH, vaj chel:

Dann sagte sich der kleine Prinz: Ich glaubte immer, ich sei reich, weil ich eine besondere Blume besaß, aber ich habe nur eine ganz normale Blume. Ich besitze auch drei Vulkane, die mir bis ans Knie reichen, aber wegen dieser Sachen bin ich offenbar kein großer Prinz. Dann ließ er sich ins Gras fallen und begann zu weinen.

XXI

Dann erschien ein Fuchs.

»Pass auf«, sagte der Fuchs.

»Was willst du?«, antwortete schnell der kleine Prinz. Er schaute hinter sich, sah aber nichts.

»Ich bin hier«, sagte die Stimme, »unter dem Baum ...«

»Wer bist du?«, fragte der kleine Prinz. »Du bist sehr schön ...«

»Ich bin ein Fuchs«, sagte der Fuchs.

»Komm mit, dann spielen wir ....«, schlug der kleine Prinz vor. »Ich bin traurig ...«

»Ich kann nicht mitspielen«, sagte der Fuchs. »Ich bin noch nicht gezähmt!«

»Ach, das tut mir leid«, sagte der kleine Prinz.

Er dachte kurz nach und sagte dann:

»nuq 'oS mu'vetlh: tlhay'?«

»naDev 'oHbe'ba' juHlIj«, jatlh qeSHoS, »nuq Danej?«

»nuvpu' vInej«, jatlh ta'puq mach. »nuq 'oS mu' tlhay'?«

»nuvpu' ...«, jatlh qeSHoS, »beHmey ghaj 'ej baH nuvpu'. munuQchu' chaH. qItbe' Sep je nuvpu'. latlh neHbe' chaH. qItbe' Danej'a'?«

»Was bedeutet dieses Wort: zähmen?«

»Hier ist offenbar nicht dein Zuhause«, sagte der Fuchs, »Wonach suchst du?«

»Ich suche die Menschen«, sagte der kleine Prinz. »Was bedeutet das Wort zähmen?«

»Die Menschen ...«, sagte der Fuchs, »Die Menschen haben Gewehre und sie schießen. Sie stören mich sehr. Die Menschen züchten auch Hühner. Mehr wollen sie nicht. Suchst du nach Hühnern?«

»ghobe'«, jatlh ta'puq mach, »juppu' vInej. nuq 'oS mu' tlhay'?«

»qech tIQ lIjlu'pu'bogh 'oH.«, jatlh qeSHoS. »rarwI' chenmoH
'oS«

»rarwI' chenmoH?«

»HISlaH«, jang qeSHoS. »jIHvaD loDHom motlh SoH. Durur
wa'bIp latlh loDHompu'. qapoQbe', 'ej chopoQbe' je. SoHvaD
qeSHoS motlh jIH. murur wa'bIp latlh qeSHoSmey. 'ach
chotlhay'moHchugh, vaj mawuvchuq. mapoQchuq. ngugh jIHvaD
qo'wIjDaq ghot wa'DIch Damoj. ngugh SoHvaD qo'lIjDaq ghot
wa'DIch vImoj jIH ...«

»DaH jIyajchoH«, jatlh ta'puq mach. »'InSong vISov ...
mutlhay'moHta' 'oH 'e' vIHar ...«

»DuHbej«, jatlh qeSHoS. »tera'Daq Sarbogh Dochmey law'
lughomlu' ...«

»tera'Daq 'oH tu'lu'be'«, jatlh ta'puq mach.

Seylaw' qeSHoS:

»latlh yuQDaq 'oHtaH'a'?«

»HISlaH.«

»yuQvetlhDaq wamwI' lutu'lu''a'?«

»ghobe'.«

»Dajqu'. bo'Degh lutu'lu''a'?«

»ghobe'.«

»pup pagh!« ja' qeSHoS.

vaj lutDajDaq chegh qeSHoS.

»Nein«, sagte der kleine Prinz, »ich suche nach Freunden. Was bedeutet das Wort zähmen?«

»Es ist eine alte vergessene Idee.«, sagte der Fuchs »Es bedeutet Verbindungen herstellen.«

»Verbindungen herstellen?«

»Ja«, antwortete der Fuchs. »Für mich bist du ein gewöhnliches Männchen. Hunderttausend andere Knaben ähneln dir. Ich brauche dich nicht und du brauchst mich auch nicht. Für dich bin ich nur ein gewöhnlicher Fuchs. Hunderttausende andere Füchse sind wie ich. Aber wenn du mich zähmst, dann können wir uns aufeinander verlassen. Wir brauchen uns gegenseitig. In dem Moment wirst du für mich die erste Person in meiner Welt werden. Ich werde für dich die erste Person in deiner Welt werden ...«

»Jetzt beginne ich zu verstehen«, sagte der kleine Prinz. »Ich kenne eine Blume ... Ich glaube, sie hat mich gezähmt ...«

»Das ist sicher möglich«, sagte der Fuchs. »Auf der Erde trifft man auf viele verschiedene Sachen ...«

»Sie ist nicht auf der Erde«, sagte der kleine Prinz.

Der Fuchs schien aufgeregt:

»Ist sie auf einem anderen Planeten?«

»Ja.«

»Gibt es Jäger auf jenem Planeten?«

»Nein.«

»Das ist interessant. Gibt es Vögel?«

»Nein.«

»Nichts ist perfekt!«, sagte der Fuchs.

Dann kam der Fuchs zu seiner Geschichte zurück.

»Dal yInwIj. bo'Deghmey vIwam jIH, muwam nuvpu'. rurchuq
Hoch bo'Deghmey, rurchuq Hoch nuvpu'. vaj jIHvaD loQ Dal.
'ach chotlhay'moHchugh, vaj yInwIjDaq jul tu'lu'. qamDu'lIj wab
vIghojchoH, latlh rurbe'mo'. mughIjbej latlh qamDu'. 'ach qamlIj
vIQoyDI', vaj juHwIj pegh vImej. DaH yIqIm! pa' tIr yotlhmey
Dalegh'a'? tIr ngogh vISopbe'. jIHvaD lI'be' tIr. tIr yotlh vIleghDI',
vaj pagh vIqaw. 'IQbej. 'ach tIr wov rur jIblIj. chotlhay'moHta'DI'
vaj DunchoH poH. reH tIr wov vIleghDI', vaj jIblIj wov vIqaw. tIr
Hotbogh SuS wab vIparHa'choHbej.«

tamchoH qeSHoS 'ej ta'puq bejqu':

»HIbelmoH ... HItlhay'moH!« jatlh.

»qatlhay'rupmoH«, jang ta'puq mach, »'ach poH law' vIHutlh.
juppu' vISammnIS 'ej Dochmey law' vIghojnIS.«

»Dochmey Datlhay'moHbogh neH DaSovchu'.«, jatlh qeSHoS.

»vay' ghojmeH poH Hutlh nuvpu'. reH ngevwI'vo' Dochmey luje'
neH. 'ach jup ngevwI' tu'lu'be'mo' juppu' ghajtaHbe' nuvpu', jup
DaneHchugh, vaj HItlhay'moH!«

»vaj chay' jIruch?« ghel ta'puq mach.

»bItuvqu'nIS«, jang qeSHoS. »bItaghmeH, magh yotlhDaq
bIba', 'ach jIHDaq yISumQo'. ngugh qabejtaHvIS, chaq pujwI'
vIrur. 'ach pagh Dajatlh SoH. reH noHmey tagh mu'mey. 'ach
Hoch jaj, jIHDaq bISumchoHlaH ...«

po veb chegh ta'puq mach.

»Mein Leben ist langweilig. Ich jage Vögel, die Menschen jagen mich. Die Vögel ähneln sich alle, die Menschen ähneln sich alle. Deswegen ist es für mich langweilig. Aber falls du mich zähmst, ist in meinem Leben wieder Sonne. Sobald ich das Geräusch deiner Schritte höre, ist es nicht mehr wie das der anderen. Andere Schritte erschrecken mich bestimmt. Aber wenn ich deine Füße höre, dann komme ich aus meinem geheimen Zuhause heraus. Jetzt pass auf! Siehst du die Getreidefelder da drüben? Ich esse kein Brot. Für mich ist das Getreide nutzlos. Wenn ich ein Getreidefeld sehe, erinnere ich mich an nichts. Das ist wirklich traurig. Aber deine Haare sind wie das helle Getreide. Sobald du mich gezähmt hast, wird die Zeit großartig. Jedes mal, wenn ich das helle Getreide sehe, werde ich mich an dein helles Haar erinnern. Ich werde sicher das Geräusch des Windes in den Getreidefeldern lieben.«

Der Fuchs wurde leise und schaute den Prinzen an:

»Bitte ... zähme mich!«, sagte er.

»Ich bin bereit, dich zu zähmen«, antwortete der kleine Prinz, »aber ich habe nicht viel Zeit. Ich muss Freunde finden und ich muss viele Sachen lernen.«

»Du kennst nur jene Dinge richtig, die du selbst gezähmt hast.«, sagte der Fuchs. »Die Menschen haben keine Zeit, um etwas richtig kennen zu lernen. Sie kaufen immer nur Sachen vom Verkäufer. Aber da es keine Verkäufer für Freunde gibt, haben die Leute keine Freunde mehr. Wenn du einen Freund willst, dann zähme mich!«

»Wie gehe ich dann vor?«, fragte der kleine Prinz.

»Du musst sehr geduldig sein«, antwortete der Fuchs. »Um zu beginnen, sitzt du mitten in der Wiese, aber du näherst dich mir nicht. Danach werde ich dich wie ein Schwächling beobachten. Aber du sagst nichts. Sprachen beginnen immer die Kriege. Aber jeden Tag kannst du dich mir ein wenig nähern ...«

Am nächsten Morgen kam der kleine Prinz zurück.

»qaSDI' rep nIb bIpaw net jalchugh, vaj qaqbej wanI'«, ja'
qeSHoS. »loS rep bIpawDI', vaj wej rep jIQuchchoHlaH. nI'chugh
poH, vaj qaStaHvIS poHvetlh jIQuchchoHlaHqu'. ghIq, loS rep,
jISeychoHbej, 'ej jIbItchoH; wagh QuchtaHghach 'e' vItlhojbej.
'ach nIbbe' bIpawmeH poHlIj net jalchugh, vaj tIqwIj vI'angmeH
poH vISovlaHbe' ... tIghmeyna' ru'Ha' DIpoQ.«

»nuq 'oS tIgh ru'Ha'?«, jatlh ta'puq mach.

»Doch'e' lulIjbogh Humanpu' law' 'oHbej«, ja' qeSHoS. »jajmey
pImmoHbogh mIw 'oH, repmey pImmoHlaH je. wamwI'wI' tIgh
vIDellaH. qaStaHvIS loghjaj mI'meH chaH vengHom be'pu'
lughom 'ej nItebHa' mI'. ngoDvammo' povqu' loghjaj. qaStaHvIS
jajvetlh HIq HuDDaq jIyItlaH. mI'meH wa' jaj luwIvbe' net
jalchugh, vaj nIb Hoch jajmey 'ej not leSmeH jaj vIghaj jIH.«

vaj qeSHoS tlhay'moH ta'puq mach. 'ej cholDI' mejmeH rep:

»toH!« jatlh qeSHoS, »jISaQbej.«

»pIch Daghaj SoH«, ja' ta'puq mach, »bI'IQ vIneHbe'bej, 'ach
qatlhay'moH 'e' Datlhob SoH ...«

»Wenn man sich vorstellt, dass du immer zur selben Zeit kommst, dann wäre das Ereignis besser gewesen.«, sagte der Fuchs. »Wenn du um vier Uhr kommst, dann werde ich schon um drei Uhr glücklich werden. Falls die Zeit lange ist, kann ich in dieser Zeit sehr glücklich werden. Anschließend, um vier Uhr, werde ich sicher sehr aufgeregt sein und unruhig; Ich werde sicher erkennen, dass das Glücklichsein teuer ist. Aber wenn man sich vorstellt, dass die Zeit deines Ankommens nicht gleich ist, dann kann ich nicht wissen, zu welcher Zeit ich mein Herz zeigen soll ... Wir brauchen dauerhafte Bräuche.«

»Was bedeutet dauerhafter Brauch?«, sagte der kleine Prinz.

»Es ist etwas, das viele Menschen vergessen haben«, sagte der Fuchs. »Es ist ein Vorgang, der die Tage und Stunden anders macht. Ich kann einen Brauch der Jäger beschreiben. Am Donnerstag treffen sie sich mit den Mädchen des Dorfes, um zu tanzen. Aus dem Grund ist Donnerstag perfekt. An jenem Tag kann ich auf dem Weinberg spazieren gehen. Wenn man sich vorstellen würde, dass sie nicht diesen einen Tag zum Tanzen gewählt hätten, dann wären alle Tage gleich und ich hätte nie einen Tag zum Entspannen.«

Also zähmte der kleine Prinz den Fuchs. Und als die Stunde des Abschieds sich näherte:

»Ach!«, sagte der Fuchs, »Ich werde weinen.«

»Es ist dein Fehler«, sagte der kleine Prinz, »ich wollte sicher nicht, dass du traurig bist, aber du hast darum gebeten, dass ich dich zähme ...«

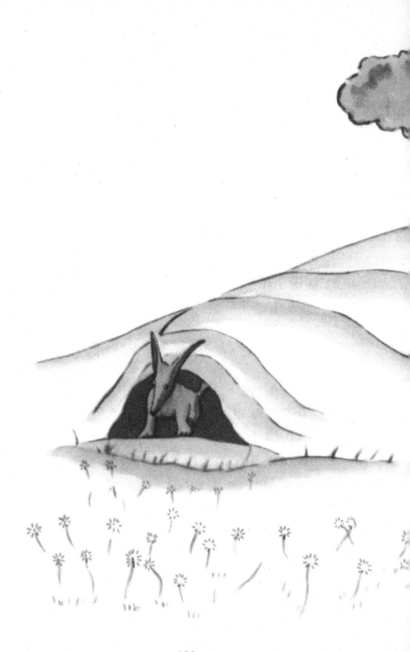

»teHbej«, ja' qeSHoS.

»'ach DaH bISaQbej!« jatlh ta'puq mach.

»teH«, ja' qeSHoS.

»vaj bIQapbe'!«

»jIQapqu'«, ja' qeSHoS, »nguvmo' magh yotlh.«

ghIq chel:

»ro'Sa'mey tIbejqa'. bIH DaleghDI', vaj le'qu' ro'Sa'lIj 'e'
DatlhojbeJ. ghIq HIchegh 'ej HIvan, 'ej SoHvaD pegh qanob.«

ro'Sa'mey bejqa'meH mej ta'puq mach:

»ro'Sa'wIj   borurbe'qu',   pagh   tlhIH«,   bIHvaD   jatlh.
»Dutlhay'moHta' pagh, 'ej pagh botlhay'moHta' tlhIH. Doch'e'
'oHpu'bogh qeSHoSwIj borur. vIqIHpa', vaj wa' bIp nIbbogh
qeSHoSmey rur 'oH. 'ach DaH jupDaj vImojta'mo', qo'wIjDaq
le'qu' 'oH.«

'ej tuHqu' Hoch ro'Sa'mey.

»Su'IHqu', 'ach SuchIm«, chel ghaH. »tlhIHvaD Heghqangbe'
vay'. teHbej, tlhIH lIrur ro'Sa'wIj 'e' HarlaH juSbogh ghot. 'ach
qoDDajDaq 'oH potlh law', tlhIH potlh puS, 'oH vIyIQmoHta'mo'.
'oH QanmeH 'al'on moQbID vIlo'ta'mo'. 'oH QanmeH SuSyoD
vIlo'ta'mo'. 'oH QanmeH 'ughDuq ghargh vIHoHmo' (chaq cha'
vIHoHbe', Su'wan ghew moj 'e' vIchaw' vIneHmo') beptaHmo'
'oH, 'ej naDtaHmo' 'oH, 'ej chaq rut tamtaHmo' 'oH, 'e' vIQoymo'.
ro'Sa'wIj 'oHmo'.«

qeSHoS chegh ghaH:

»Sehr wahr«, sagte der Fuchs.

»Aber jetzt bist du ganz traurig!«, sagte der kleine Prinz.

»Bestimmt«, sagte der Fuchs.

»Also hast du nicht gewonnen!«

»Ich habe sehr gut gewonnen«, sagte der Fuchs, »weil die Wiese gefärbt ist.«

Dann fügte er hinzu:

»Schau dir die Rosen nochmal an. Sobald du sie siehst, erkennst du sicher, dass deine Rose etwas Besonderes ist. Anschließend wirst du zu mir wiederkehren und mich grüßen und ich werde dir ein Geheimnis geben.«

Der kleine Prinz ging fort, um die Rosen wieder anzuschauen:

»Ihr seid nicht wie meine Rose, ihr seid nichts«, sagte er zu ihnen. »Niemand hat euch gezähmt und ihr habt auch niemanden gezähmt. Ihr seid wie das, was der Fuchs einst war. Bevor ich ihn getroffen hatte, war er wie hunderttausende andere Füchse. Aber jetzt, da ich sein Freund geworden bin, ist er sehr besonders in meiner Welt.«

Und die Rosen schämten sich.

»Ihr seid sehr schön, aber ihr seid leer«, fügte er hinzu. »Für euch ist niemand willens zu sterben. Es stimmt sicher, im Vorbeigehen könnte jemand denken, ihr seid wie meine Rose, aber im Innern ist sie viel wichtiger als ihr, weil ich sie gegossen habe. Weil ich eine Glasglocke verwendet habe, um sie zu schützen. Weil ich für sie einen Windschutz verwendet habe. Weil ich, um sie zu schützen, eine Raupe getötet habe. (Vielleicht habe ich zwei oder drei nicht getötet, weil ich wollte, dass sie zu Schmetterlingen werden.) Weil sie geklagt hatte, weil sie gelobt hatte und weil sie manchmal auch nur leise gewesen war und ich das alles gehört hatte. Weil sie meine Rose ist.«

Er kehrt zum Fuchs zurück:

»Qapla'«, jatlh ...

»Qapla'«, jatlh qeSHoS. »peghwIj vI'ang. ngeDqu': leghchu' tIq neH. potlh leghlaHbe' mIn.«

»potlh leghlaHbe' mIn.« mu'tlhegh qawchu'meH 'oH jatlhqa' ta'puq mach.

»ro'Sa'lIjvaD poH law' Danatlhta'; poHvetlhmo' potlh ro'Sa'lIj.«

»ro'Sa'wIjvaD poH law' vInatlhta' ...« mu'tlhegh qawchu'meH 'oH jatlhqa' ta'puq mach.

»vItvetlh lulIjpu' Humanpu'«, jatlh qeSHoS. »'ach 'oH DalIj SoH net chaw'be'. reH Doch'e' Datlhay'moHbogh DaSaHnISqu'. ro'Sa'lIj DaSaHnISqu' ...«

»ro'Sa'wIj vISaHnISqu' ...« mu'tlhegh qawchu'meH 'oH jatlhqa' ta'puq mach.

cha'maH cha'

»qIm!« jatlh ta'puq mach.

»nuqneH?« jatlh leQpIn.

»Qu'lIj yIngu'!« tlhob ta'puq mach.

»lengwI'pu' vItogh. wa'SanID lengwI' ngaSbogh veymey vIchenmoH«, jatlh leQpIn. »chaq poSDaq, chaq nIHDaq chaH qengbogh lupwI' vIchIj.« 'ej tuDbogh pe'bIl rur nom juSbogh lupwI' mIr chuSqu', 'ej 'avwI' qachHom walmoH 'oH.

»moDqu'law' chaH«, jatlh ta'puq mach, »nuqDaq ghoS?«

»ghochDaj Sovbe'qu' je chIjwI''e'«, jatlh leQpIn.

»chegh'a'?«, ghel ta'puq mach.

»rapbe' lengwI'vam« jatlh leQpIn, »luchoHlu'pu'.«

»DaqDaq lumejpu'bogh yonlu'be'a'?«

»not yonmoH Daq Dablu'bogh«, jatlh leQpIn.

tuDbogh muD rur borqu'bogh lupwI' mIr wejDIch, nom juSDI'.

»Erfolg«, sagte er ...

»Erfolg«, sagte der Fuchs. »Ich zeige dir mein Geheimnis. Es ist sehr einfach: Nur das Herz sieht richtig. Das Auge kann das Wichtige nicht sehen.«

»Das Auge kann das Wichtige nicht sehen.« Der kleine Prinz wiederholte den Satz, um ihn sich zu merken.

»Du hast für deine Rose viel Zeit verbraucht; wegen dieser Zeit ist deine Rose so wichtig.«

»Ich habe für meine Rose viel Zeit verbraucht ...« Der kleine Prinz wiederholte den Satz, um ihn sich zu merken.

»Diese Wahrheit haben die Menschen vergessen«, sagte der Fuchs. »Aber man darf nicht zulassen, dass du es vergisst. Du musst dich immer um das kümmern, was du gezähmt hast. Du musst dich um deine Rose kümmern ...«

»Ich muss mich um meine Rose kümmern ...«, Der kleine Prinz wiederholte den Satz, um ihn sich zu merken.

XXII

»Pass auf«, sagte der kleine Prinz.

»Was willst du?«, sagte der Schaltermeister.

»Nenne deine Aufgabe!«, verlangte der kleine Prinz.

»Ich zähle die Reisenden. Ich mache Päckchen von eintausend Reisenden«, sagte der Schaltermeister. »Vielleicht navigiere ich ihren Zug nach links, vielleicht nach rechts.« Und dann fuhr ein Zug vorbei, der sich wie ein donnerndes Gewitter anhörte und er brachte das Wärterhäuschen zum Zittern.

»Sie haben es offenbar eilig«, sagte der kleine Prinz, »Wohin gehen sie?«

»Das weiß nicht einmal der Navigator«, sagte der Schaltermeister.

»Kommen sie zurück?«, fragte der kleine Prinz.

»Dies sind nicht dieselben Reisenden.« sagte der Schaltermeister, »Sie wurden ausgetauscht.«

»Waren sie nicht zufrieden, wo sie waren?«

»Man ist nie zufrieden an dem Ort, den man bewohnt«, sagte der Schaltermeister.

Auch der dritte Zug war wie ein tosendes Gewitter, als er vorbeifuhr.

»lengwI'pu' wa'DIch tlha''a' lengwI'vam?« ghel ta'puq mach.

»pagh lutlha'«, jatlh leQpIn. »qoDDaq Qong, chaq Hob neH. QorwaghDaq ghIchraj 'uy puqpu' neH.«

»ghochchaj Sov puqpu' neH«, jatlh ta'puq mach. moHqu'bogh raghghan luparHa'chu' puqpu', 'ej chaHvaD potlhchoH raghghanvetlh. 'oH nge'lu'chugh vaj SaQ chaH ...«

»Do'qu' chaH.« jatlh leQpIn.

»Verfolgen diese Reisenden die ersten Reisenden?«, fragte der kleine Prinz.

»Sie verfolgen nichts«, sagte der Schaltermeister. »Sie schlafen da drinnen oder gähnen nur. Nur die Kinder drücken ihre Nasen gegen die Fenster.«

»Nur die Kinder kennen ihre Ziele«, sagte der kleine Prinz. »Die Kinder mögen eine echt hässliche Puppe und sie wird so wichtig für sie, dass, wenn man ihnen diese wegnimmt, sie weinen …«

»Sie haben es gut.«, sagte der Schaltermeister.

cha'maH wej

»HIqIm« jatlh ta'puq mach.

»nuqneH?« jatlh mechwI'.

'ojHa'moHbogh Sojqoq ngev ghaH. wa' 'ay'Hom neH tlhutlhDI' vay' vaj qaStaHvIS wa' Hogh 'ojbe' ghaH.

»qatlh Dangev?« ghel ta'puq mach.

»poH law' pollu'mo'«, ja' mechwI'. »'e' Qul tejpu'. qaStaHvIS wa' Hogh vaghmaH wej tup lupollu'.«

»'ej chay' vaghmaH wej tupvam lulo'lu'?«

»lo' DawIvlaH SoH ...«

»vaghmaH wej tup vIghaj net jalchugh«, jatlh ta'puq mach, »vaj Daqrab vISammeH bIH vIlo' jIH ...«

cha'maH loS

chorgh Hu' DebDaq jISaqHa'. DaH Suy lut vI'Ij, bIQwIj Qav vItlhutlhtaHvIS:

»wejpuH«, ta'puq machvaD jIjatlh, »Dajbej lutmeylIj, 'ach DujwIj vItI'nIS, Hoch bIQwIj vInatlhpu', 'ej jIQuchchoHbej tugh bIQ vISamlaHchugh.«

jatlhchoH: »jupwI' 'oH qeSHoS'e' ...«

»wIj jup – DaH qeSHoS wIboplaHbe'!«

»qatlh?«

»tlhoy 'ojlu'DI', vaj Heghlu'DI'mo' ...«

muyajbe'ba'. jang:

»HeghnISlu'DI', vaj QaQ ghu' jup ghajlu'chugh. jIQuchqu', jupwI' 'oHmo' qeSHoS'e' ...«

'ach mubej 'ej yabwIjmo' janglaw'.

»jI'oj je ... Ha', Daqrab wISamnIS ...«

XXIII

»Beachte mich«, sagte der kleine Prinz.

»Was willst du?«, sagte der Händler.

Er handelte mit einem äußerst durststillenden Getränk. Wenn jemand davon nur ein klein wenig trinkt, ist er den Rest der Woche nicht mehr durstig.

»Warum verkaufst du das?«, fragte der kleine Prinz.

»Weil dadurch viel Zeit gespart wird«, sagte der Händler. »Wissenschaftler haben es untersucht. Während einer Woche spart man dreiundfünfzig Minuten.«

»Und wie werden diese dreiundfünfzig Minuten genutzt?«

»Das kannst du dir selbst aussuchen ...«

»Falls ich dreiundfünfzig Minuten habe«, sagte der kleine Prinz, »dann würde ich sie nutzen, um einen Brunnen zu finden ...«

XXIV

Vor acht Tagen war ich in der Wüste abgestürzt. Jetzt hörte ich von der Geschichte des Händlers, während ich das letzte Trinkwasser zu mir nahm:

»Interessant.«, sagte ich dem kleinen Prinzen, »Deine Geschichten sind wirklich schön, aber ich muss jetzt mein Flugzeug reparieren, ich habe mein ganzes Wasser verbraucht und ich wäre sicher glücklich, wenn ich bald einen Brunnen finden könnte.«

Er begann zu sprechen: »Mein Freund ist ein Fuchs ...«

»Mein lieber Freund – es dreht sich jetzt nicht um deinen Fuchs!«

»Warum?«

»Weil man vor Durst sterben kann ...«

Er schien mich nicht zu verstehen. Er antwortete:

»Falls man sterben muss, ist es gut, einen Freund zu haben. Ich habe Glück, denn der Fuchs ist mein Freund ...«

Er erkennt die Gefahr scheinbar nicht, sagte ich mir. Er ist nie hungrig, nie durstig. Er benötigt scheinbar nur die Sonne ...

Aber er beobachtete mich und schien meinen Gedanken zu verstehen, als er antwortete:

»Ich bin auch durstig ... Los, lass uns einen Brunnen suchen ...«

ghaHvaD QIltaHghachwIj vI'ang: Doghbej not mevbogh Deb'a'Daq Daqrab SammeH Qu'. 'ach lengmaj wItagh.

qaStaHvIS repmey law' mayIttaHvIS matam. Dor pem, tagh ram, wovqu'choH Hovmey. jI'ojqu'mo', jIropchoH vaj jInaj 'e' vIHar. vIHlaw' Hovmey. yabwIjDaq mI'taH ta'puq mach mu'mey.

»vaj bI'oj'a' je?« ghaH vIyu'.

jangbe'. jatlh neH:

»chaq tIqvaD lI' bIQ ...«

mu'Daj vIyajbe', 'a jItam ... jIghelnISbe' 'e' vISovchu'.

Doy' ghaH. ba'. ghaH retlhDaq jIba' jIH. loQ matam, 'ach ghIq jatlh:

»'IH Hovmey, jIHvaD 'InSong leghlu'be'bogh qawmoH ...«

jIjang: »bIlugh«, 'ej maSwovDaq bochbogh Do'ol Damu'mey bejtaHvIS tamqu'.

»'IH Deb«, chel ghaH ...

teHbej. reH Deb vIparHa'qu'taH. Do'olDaq ba'lu'DI', vaj pagh leghlu'. pagh Qoylu'. ngugh wab Hutlhbogh ghu'Daq bochlaw' vay'.

»vogh Daqrab So'taH Deb.«, jatlh ta'puq mach, »Deb 'IHchu'moH ngoDvam.«

loQ mumer bochbogh Do'ol. puq jIHDI', qanbogh qach vIDab. nuja' wIch ja'wI'pu': pa' qengHoD So'lu'. not 'oH nejlu'pu' net Sov. 'ach qach le'moH ngoDHomvam. tIqDajDaq peghna' qeng juHwIj ...

»bIlugh«, ta'puq machvaD jIjatlhchoH, »chaq juH, chaq Hov, chaq Deb boplu'DI'; 'IHmoHbogh Doch leghlaHbe' mIn!«

»jIQuchqu'«, jatlh, »qeSHoSwIj vuD DaQochbe'mo'.«

120

Ich zeigte ihm meine Verzweiflung: Mitten in der unendlichen Wüste einen Brunnen zu suchen, ist ziemlich sinnlos. Aber wir begannen unsere Reise.

Während wir stundenlang weiterliefen, blieben wir ruhig. Der Tag ging zu Ende, die Nacht brach an. Die Sterne wurden sehr hell. Ich glaubte, ich begann zu träumen, weil ich so durstig war. Die Sterne schienen sich zu bewegen. Die Worte des kleinen Prinzen schwirrten in meinem Kopf herum.

»Bist du also auch durstig?«, fragte ich ihn.

Er antwortete nicht. Er sagte nur:

»Vielleicht ist Wasser gut für das Herz ...«

Ich verstand seine Worte nicht, blieb aber stumm ... Ich wusste gut, dass ich nicht fragen musste.

Er war müde. Er setzte sich hin. Ich setzte mich neben ihn. Wir waren kurz leise, dann sagte er:

»Die Sterne sind schön. Sie erinnern mich an die Blume, die man nicht sieht ...«

Ich antwortete: »Du hast Recht«, und während er schwieg betrachtete er die Falten im Sand.

»Die Wüste ist schön«, fügte er hinzu ...

Es war wahr. Ich hatte die Wüste immer geliebt. Wenn man sich in den Sand setzt, sieht man nichts. Man hört nichts. Und dann, im Moment der Stille, glänzt etwas.

»Die Wüste versteckt irgendwo einen Brunnen.«, sagte der kleine Prinz, »Das macht die Wüste schön.«

Mich überraschte ein wenig der leuchtende Sand. Als ich ein Kind war, wohnte ich in einem alten Haus. Die Legende erzählt: Dort ist ein Schatz versteckt. Natürlich wurde nie danach gesucht. Aber diese Tatsache machte das Haus zu etwas Besonderem. Mein Zuhause trug ein wahres Geheimnis in seinem Herzen ...

»Du hast Recht«, sagte ich zum kleinen Prinzen, »Ob man über das Zuhause, die Sterne oder die Wüste spricht; das Auge kann die Sachen, die sie schön machen, nicht sehen!«

»Ich bin sehr froh«, sagte er, »dass du der Ansicht meines Fuchses nicht widersprichst.«

QongchoHmo' ta'puq mach ghaH vIqengchoH. HewIjDaq malengqa'. muDuQpu' ghaH. Doch wunqu' vIqenglaw'. tera'Daq Dochvam wun law', Hoch wun puS 'e' vIHarchoH. ghaH wovmoH maSwov. qabDaj wov vIbej; mInDu'Daj SoQ vIbej; SuSmo' vIHbogh jIbDaj vIbej, 'ej jIja''egh: Som neH vIlegh. qolqoS leghlaHbe' mIn ...

122

Weil der kleine Prinz eingeschlafen war, begann ich, ihn zu tragen. Wir begaben uns weiter auf die Reise. Er berührte mich sehr emotional. Er trug scheinbar etwas sehr Verletzliches. Ich begann zu glauben, dass dies wohl die verletzlichste Sache der Erde sei. Das Mondlicht beleuchtete ihn. Ich schaute mir sein helles Gesicht an; ich schaute mir seine geschlossenen Augen an; ich schaute mir seine im Winde wehenden Haare an und sagte zu mir: Ich sehe nur eine Hülle. Das Auge kann den wahren Kern nicht sehen ...

loQ poSmo' nujDaj, monlaw' ghaH. vaj jIja''eghtaH: chay'
muDuQlaH Qongbogh ta'puq? jISov. muDuQ 'InSongDajmo'
matlhmo' ghaH. ghaH wovmoH wovmoHwI' qul rurbogh ro'Sa'
mIllogh ... 'ej DaH wunchoHchu'qu' ghaH. wovmoHwI' qul
QannISlu'qu': 'oH HoHlaH wa' SuSHom neH.

jIlengtaH. taghDI' pem, Daqrab vISam.

cha'maH vagh

»taQ nuvpu'« ja' ta'puq mach, »nom lengbogh lupwI' mIr luqoch
chaH, 'ach ghochDaj'e' lunejbogh luSovbe'. ghIq QeHchoH 'ej bep,
'ej beptaH.«

ghIq chel:

»lI'be' mIwvam ...«

SaHa'ra' Daqrab rurbe' Daqrab wISambogh. roD QemjIqmey
bIH neH SaHa'ra' Daqrabmey'e'. veng Daqrab rur Daqrabvam.
'ach maHDaq Sumbe'mo' veng, jInaj 'e' vIHar.

»taQbej«, ta'puq machvaD jIjatlh, »Qaplaw' Hoch: tlhegh
jIrmoHwI', DoQmIvHom, tlhegh je ...«

Hagh ghaH, ghIq tlhegh Hot, 'ej tlhegh jIrmoHwI' vIHmoH.
chuSDI' jIrmoHwI', taQqu' wab'e' lIngbogh; raghpu'bogh lojmIt
rur.

»DaQoy'a'?« ja' ta'puq mach, »Daqrabvam wIvemDI', vaj
bomchoH ...«

vumchu' ghaH vIneHbe':

»jIruch jIH 'e' yIchaw'«, ghaHvaD jIja', »SoHvaD tlhoy 'ugh
jan.«

QIt Daqrab HeHDaq DoQmIvHom vIpep. pa' vIngaDmoHchu'.
teSwIjDu'Daq tlhegh jIrmoHwI' qan wab vIQoytaH, 'ej walbogh
bIQDaq wal jul 'e' vIlegh.

»bIQvam vItlhutlh vIneH«, ja' ta'puq mach, »HItlhutlhmoH ...«
ngugh Doch'e' nejta'bogh vIyajchoH.

Weil sein Mund etwas geöffnet war, schien es, als ob er lächelte. So sagte ich weiter zu mir selbst: Wie kann mich dieser schlafende kleine Prinz so rühren? Ich wusste es. Es war, weil er so loyal zu seiner Blume war. Das Bild der Rose, das ihn wie das Feuer einer Lampe beleuchtet. Und jetzt schien er mir noch zerbrechlicher als vorher. Die Flamme einer Lampe muss gut beschützt werden: Die kleinste Brise kann sie bereits verlöschen ...

Ich reiste weiter. Bei Tagesanbruch fand ich den Brunnen.

XXV

»Die Leute sind seltsam«, sagte der kleine Prinz, »Sie quetschen sich in volle Züge hinein, wissen aber nicht, was ihr Reiseziel ist. Dann werden sie wütend, beschweren sich und beschweren sich weiter.«

Dann fügte er hinzu:

»Diese Vorgehensweise ist nicht nützlich ...«

Der Brunnen, den wir fanden, ähnelte nicht einem Sahara-Brunnen. Normalerweise sind Brunnen in der Sahara nur einfache Löcher im Boden. Dieser Brunnen ähnelte einem Brunnen in der Stadt. Da aber keine Stadt in der Nähe war, glaubte ich zu träumen.

»Es ist wirklich seltsam«, sagte ich zum kleinen Prinzen, »Es scheint alles zu funktionieren: Die Winde, der Eimer und das Seil ...«

Er lachte, berührte dann das Seil und drehte an der Winde. Sobald die Winde laut wurde, war das erzeugte Geräusch so seltsam, wie das einer verrosteten Tür.

»Hörst du es?«, sagte der kleine Prinz, »Sobald wir diesen Brunnen wecken, beginnt er zu singen ...«

Ich wollte nicht, dass er viel arbeitet:

»Lass mich weitermachen«, sagte ich ihm, »Das Gerät ist für dich zu schwer.«

Langsam hob ich den Eimer zum Rand des Brunnens. Dort stabilisierte ich ihn. In meinen Ohren hörte ich das Geräusch des alten Rades klingen, und im vibrierenden Wasser konnte ich die vibrierende Sonne sehen.

»Ich will dieses Wasser trinken«, sagte der kleine Prinz, »Gib mir zu trinken ...«

In dem Moment begann ich zu verstehen, was er gesucht hatte.

wuSDajDaq DoQmIvHom vIpep. tlhutlhtaHvIS poSbe' mInDu'Daj. lopno' rur wanI'. Soj 'oHbe' neH bIQvam'e'. Hovmey lengmajmo' chen, bombogh jIrmoHwI'mo' chen, vumbogh DeSDu'wIjmo' chen. tIqvaD QaQqu', nob rur. naH jajmeywIj, nobmeywIj vIHevta'bogh bochmoH QISmaS Sor, lopno' QoQ, monbogh nuvpu' je.

»juHlIjDaq ghotpu' DabejDI'«, ja' ta'puq mach, »wa' Du'Daq vagh SanID ro'Sa'mey wIj chaH ... 'ach Doch'e' lunejbogh luSambe' ...«

»luSambe'«, jIjang ...

»'ach Doch'e' luneHbogh, wa' ro'Sa'Daq neH, bIQHomDaq neH 'oH luSamlaHbej ...«

»net Sov«, jIjang.

'ej chel ta'puq mach:

»'ach leghlaHbe' mInDu'. vay' DaSammeH tIqlIj ghogh DaQoynIS.«

jItlhutlh rIntaH. DaH jItlhuHlaHchu'. qaStaHvIS jajlo', beqpuj rur rav. 'ej muQuchmoH je beqpuj rurbogh ravvam. vaj qatlh jI'IQtaH ...

»vay' Dalay'ta'chugh, vaj bIlay'taHqu' net poQ«, pe'vIlHa' jatlh ta'puq mach. jIH 'emDaq ba'qa' ghaH.

»nuq vIlay'ta'?«

»bIqawbe''a'? DI'raqwIj nuj mo'Hom ... 'InSongwIj vISaHbej.«

buqwIjvo' mIlloghmey vIwevta'bogh vItlhap. bIH legh ta'puq mach 'ej HaghtaHvIS jatlh:

»loQ naH lurur bewbeblIj ...«

»toH!«

'ej muHemmoHpu' bewbebvetlh.

»qeSHoSlIj'e' ... qoghDu'Daj vIleghDI', pu'Du' muqawmoH. tlhoy tIq bIH!«

ghIq Haghqa'.

»DaH choQIH, loDHom mach, poSbogh ghargh'a', SoQbogh ghargh'a'mey je neH vIwevlaH 'e' DaSov!«

Ich hob den Eimer an seine Lippen. Seine Augen waren nicht offen, während er trank. Das Ereignis war wie ein Fest. Dieses Wasser war nicht nur ein Getränk. Es war entstanden wegen unserer Reise unter den Sternen, wegen der singenden Winde, wegen meiner arbeitenden Arme. Es war gut für das Herz, wie ein Geschenk. Als ich noch jung war, wurden die Geschenke, die ich erhielt, erst leuchtend durch den Weihnachtsbaum, die feierliche Musik und die lächelnden Leute.

»Wenn du die Leute bei dir zuhause anschaust«, sagte der kleine Prinz, »dann züchten sie fünftausend Rosen in einem Garten … aber sie finden nicht das, was sie suchen …«

»Sie finden es nicht«, antwortete ich …

»Aber das, was sie suchen, können sie sicher in einer einzigen Rose oder einem bisschen Wasser finden …«

»Das weiß man«, antwortete ich.

Und der kleine Prinz fügte hinzu:

»Aber die Augen können nicht sehen. Um etwas zu finden, musst du auf die Stimme deines Herzens hören.«

Ich war fertig mit Trinken. Jetzt konnte ich wieder richtig atmen. Während der Morgendämmerung war der Boden orange wie ein Bekpuj-Stein. Und dieser orangefarbene Boden machte mich glücklich. Also warum war ich weiterhin traurig …

»Wenn du etwas versprochen hast, dann erwartet man, dass du das Versprechen hältst«, sagte der kleine Prinz sanft. Er saß wieder hinter mir.

»Was habe ich versprochen?«

»Erinnerst du dich nicht? Der Maulkorb für mein Schaf … Ich kümmere mich um meine Blume.«

Ich nahm die Zeichnungen, die ich gezeichnet hatte, aus meiner Tasche. Der kleine Prinz sah sie und sagte, während er lachte:

»Deine Affenbrotbäume sehen ein wenig aus wie Gemüse …«

»Ach!«

Und dieser Affenbrotbaum hatte mich so stolz gemacht.

»Dein Fuchs … Wenn ich seine Ohren sehe, erinnern sie mich an Hörner. Sie sind viel zu lang!«

Dann lachte er.

»Jetzt verletzt du mich aber, kleines Männchen, du weißt doch, dass ich nur geöffnete und geschlossene Schlangen zeichnen kann!«

»'o, yapqu'«, jatlh, »'e' luyajbej puqpu'.«

vaj nuj mo'Hom vIwev. loQ 'oy'choH tIqwIj, ta'puq machvaD mIlloghmeywIj vInobta'DI':

»nabmeylIj vISovbe'ba' ...«

'ach jangbe'. jatlh:

»bIqawbej: tera'Daq jIpumpu' ... wa' ben qaSpu', 'ej wa'leS qaSqa' jajvetlh ...«

ghIq, loQ tampu'DI', chel:

»Sumqu' SaqHa'meH DaqwIj ...«

DoqchoH qabDaj.

loQ jI'IQqa'law', 'ach mu'IQmoHbogh meq vISovbe'. ghIq vay' vIghel vIneHlaw':

»chorgh Hu' po maqIHDI', HoptaHvIS vengmey toq, bongHa' naDev bIleng, qar'a'? DaqvamDaq bIpummo', pa' bIchegh'a'?«

DoqchoHchu' ta'puq mach.

vaj QIt jIchel:

»chaq qaSmo' DISjaj ...?«

'ej Doqqa' ta'puq mach. Dochmey vIghelbogh jangbe'taH, 'ach DoqchoHDI' vay', vaj HIja' 'oS, qar'a'?

»toH«, jIIjatlh, »vIghIjlu'!«

'a jang:

»DaH bIvumnIS. DujlIj DacheghnIS. naDev qaloS. wa'leS ram naDev yIcheghqa' ...«

'ach jIbItHa'be'. qeSHoS vIqaw. vay' tlhay'moHlu'DI', vaj chaq loQ SaQchoH vay' ...

cha'maH jav

Daqrab retlhDaq yergho tIQ pIgh tu'lu'. ram veb Qu'wIjvo' jIcheghDI', pa' ta'puq mach vItu'. pIghDaq ba'taHvIS, yergho'vo' HuStaH 'uSDaj 'ej jatlh ghaH 'e' vIQoy.

»Oh, das reicht«, sagte er, »Die Kinder werden es sicher verstehen.«
Also zeichnete ich einen Maulkorb. Mein Herz schmerzte ein
wenig, als ich die Zeichnung dem kleinen Prinzen gab:

»Ich kenne deine Pläne offenbar nicht ...«

Aber er antwortete nicht. Er sagte:

»Du erinnerst dich sicher: Ich bin auf die Erde gefallen ... Es ist
vor einem Jahr passiert und morgen passiert dieser Tag nochmal ...«

Dann, nachdem er kurz leise war, fügte er hinzu:

»Mein Absturzort ist sehr nah ...«

Sein Gesicht errötete.

Scheinbar wurde ich wieder leicht traurig, aber ich kannte den Grund
nicht, der mich traurig machte. Dann wollte ich wohl etwas fragen:

»Als wir uns vor acht Tagen morgens trafen, während zivilisierte
Städte weit weg waren, bist du hier nicht ganz zufällig gewandert,
richtig? Bist du hierhin zurückgekehrt, weil du hier abgestürzt warst?«

Der kleine Prinz errötete noch mehr.

Dann fügte er langsam hinzu:

»Vielleicht, weil heute der Jahrestag ist ...?«

Und der kleine Prinz wurde nochmal rot. Er beantwortete meine
Fragen nicht, aber wenn jemand errötet, heißt es doch ja, oder?

»Ach«, sagte ich, »Ich habe Angst!«

Aber er antwortete:

»Du musst jetzt arbeiten. Du musst zu deinem Schiff
zurückkehren. Ich warte hier auf dich. Komm morgen Abend
nochmal her ...«

Aber ich war nicht beruhigt. Ich erinnerte mich an den Fuchs. Wenn
man gezähmt worden ist, dann wird man vielleicht etwas traurig ...

XXVI

Neben dem Brunnen befanden sich die Ruinen einer alten Mauer.
Als ich am nächsten Abend von meiner Arbeit zurückkehrte, fand
ich dort den kleinen Prinzen. Während er auf den Ruinen saß, ließ
er seine Beine herunterhängen und ich konnte ihn sprechen hören

»Also erinnerst du dich nicht mehr?«, sagte er. »Dieser Ort ist
nicht der Ort!«

ghaHvaD jangbej latlh ghogh, 'oHvaD jangmo' ghaH:

»Qo', Qo'! jajna' 'oHbejqu', 'ach chaq Daqna' 'oHchu'be' ...«

yergho vIghoSqa'. pa' ghot vIleghbe' 'ej vIQoybe'. 'ach jangqa' ta'puq mach:

»teHbej. Do'olDaq vemwIj DaleghlaHbej.

pa' HIloS. DaHjaj ram pa' jIHtaH.«

vagh 'uj'a' 'aD yergho SIchmeH chuq, 'ach pagh vIleghtaH. loQ tam ta'puq mach, ghIq jatlh:

»QaQ'a' tarlIj? jIbechchu'be' 'e' DaSovbej'a'?«

jIghoS 'e' vImev. 'oy'choH tIqwIj, 'ach jIyajbe'taH.

»DaH naDevvo' yIghoS«, jatlh, »jISup vIneH!«

ghIq yergho qamDaq jIlegh 'ej vIghIjlu'. pa' ghargh SuDqu' vIlegh, ta'puq mach bejtaH 'oH. roD DortaHvIS wejmaH lup DuHoHlaH gharghvam rurbogh gharghmey ... buqwIjDaq HIchwIj vISam 'ej jIqetchoH. 'ach jIchuSchu'mo', QIt Do'olDaq vIH ghargh, Heghbogh bIQ rurtaHvIS, 'ej nomHa' naghmeyDaq So"egh 'oH.

ravDaq pumpa' loDHomwIj, yerghoDaq jIpaw 'ej ghaH vItlhap.. chIS DIrDaj, chuch rur.

»qaStaH nuq jay'? DaH gharghmey Daja'taH'a'?!«

qol'om rurbogh mong Ha'qujDaj vInge'. QuchDaj vIyIQmoH, 'ej ghaH vItlhutlhmoH. DaH vIyu'taH 'e' vIngIlbe'.

mubejDI', Saghqu' mInDu'Daj. mongwIjDaq DechchoH DeSDu'Daj. moq tIqDaj 'e' vIQoy; Heghbogh bo'Degh'e' HoHpu'bogh beH rur tIqDaj wab.

jIHvaD jatlh:

»QuQlIj DatI'laHchu'mo' jIQuchqu'. DaH juHlIj DacheghlaHbej ...«

Offensichtlich antwortete ihm eine andere Stimme, denn er antwortete:

»Nein, nein! Dies ist ganz sicher der richtige Tag, aber es ist nicht der richtige Ort ...«

Ich näherte mich weiter der Mauer. Dort konnte ich niemanden sehen oder hören. Aber der kleine Prinz antwortete weiter:

»Das weiß man. Du kannst meine Spuren im Sand gut sehen. Erwarte mich dort. Heute Nacht werde ich dort sein.«

Die Entfernung zur Mauer betrug noch fünf Uja, aber ich sah immer noch nichts. Der kleine Prinz war kurz leise, dann sagte er:

»Ist dein Gift gut? Weißt du sicher, dass ich nicht sehr leiden werde?«

Ich hörte auf zu gehen. Mein Herz begann zu schmerzen, aber ich verstand immer noch nicht.

»Jetzt geh weg von hier«, sagte er, »ich will springen!«

Dann schaute ich zum Fuß der Mauer und erschrak. Dort sah ich eine gelbe Schlange, sie schaute den kleinen Prinzen an. Normalerweise können dich Schlangen wie diese innerhalb von dreißig Sekunden töten ... Ich nahm die Pistole aus meiner Tasche und fing an zu laufen. Aber weil ich zu laut war, verschwand die Schlange schnell im Sand, wie ein sterbendes Wasser, und versteckte sich langsam unter den Steinen.

Bevor mein kleines Männchen auf den Boden fiel, kam ich an der Mauer an, um ihn aufzufangen. Seine Haut war bleich wie Eis.

»Was zur Hölle passiert hier? Sprichst du jetzt mit Schlangen?!«

Ich nahm ihm sein goldenes Halstuch ab. Ich befeuchtete seine Stirn und gab ihm etwas zu trinken. Und ich wagte es nicht, ihn weiter zu befragen.

Als er mich anschaute, waren seine Augen sehr ernst. Seine Arme umgaben meinen Hals. Ich konnte sein Herz schlagen hören. Der Klang seines Herzens klang wie der eines sterbenden Vogels, der durch ein Gewehr abgeschossen wurde.

Er sagte zu mir:

»Ich bin froh, dass du deinen Motor reparieren konntest. Jetzt kannst du sicher wieder nach Hause zurückkehren ...«

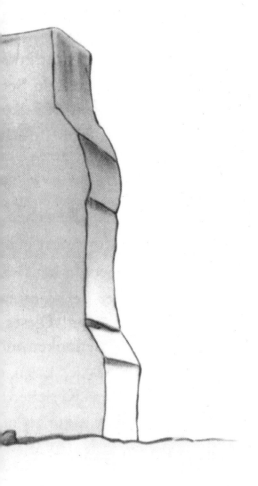

»chay' bISov?«

jIQapqu' 'ach vIHarbe' ghaHvaD 'e' vIja' 'e' vInID.

Doch vIghelbogh jangbe', 'ach ruch:

»DaHjaj juHwIjDaq jIchegh je jIH'e' ...«

ghIq 'IQchoH ghoghDaj:

»'ach Hopqu' ...'ej Qatlhqu' ...«

qaS wanI' le'qu' 'e' vItlhojba'.

DeSDu'wIjDaq ghaH vI'uchqu', ghu rur. 'ach pImbe'
wanI'. QemjIq jaQqu'Daq pumchu' 'e' vIbejlaw', 'ej pum 'e'
vIqaSHa'moHlaHbe'law' ...

Saghqu' qabDaj; Ho"oy' rur:

»DI'raqlIj vIghaj. 'ej DI'raqvaD DerlIq vIghaj. 'ej nuj mo'Hom
vIghaj ...«

ghIq loQ mon 'e' nID.

qaStaHvIS poH nI' jIloS. loQ tujchoH 'ej tujtaH 'e' vIjemlaH:

»loDHom mach, DaghIjlu'bej ...«

ghIjlu' 'e' vISovqu'! 'ach pe'vIlHa' mon ghaH:

»DaHjaj ram vIghIjlu'qu' 'e' vISovbej ...«

mubam wanI'"e' botlaHbe' vay' 'e' vItlhojDI', mughIjqu' je ghu'.
not Haghbogh loD vIQoyqa'laH 'e' vIQubDI', jI'IQchoH. qechvam
vIlajlaHbe' 'e' vItlhoj. jIHvaD Deb'a' Daqrab rur Haghbogh
ghoghDaj.

»loDHom mach, bIHaghtaH 'e' vIQoy vIneH ...«

'ach jIHvaD jatlh:

»DaHjaj ram wa' DIS 'oH. wa'ben DaqvamDaq jISaqpu', 'ej
DaHjaj Daqvam DungDaq 'oHqa' HovwIj ...«

»loDHom mach ... ghargh, mab, Hov je lut DaqelDI', chaq
bInajpu' 'e' Dalaj'a'?«

'ach Doch vIghelta'bogh jangbe' ghaH.

jatlh: »potlh leghlaHbe' ...«

»... net Sov.«

»'InSong rur 'oH. Hov Dabbogh 'InSong'e' DamuSHa'chugh,
vaj ram chal bejtaHvIS, 'IHbej wanI'. Hoch Hovmey luvel
'InSongmey.«

»Woher weißt du das?«

Ich versuchte ihm zu erzählen, dass ich es geschafft hatte, obwohl ich es selbst nicht glauben konnte.

Er beantwortete nicht das, was ich gefragt hatte, fuhr aber fort:

»Ich kehre heute auch nach Hause zurück ...«

Dann wurde seine Stimme traurig:

»Aber es ist viel weiter ... und sehr schwierig ...«

Ich erkannte wohl, dass etwas Besonderes passierte.

Ich hielt ihn fest in meinen Armen, wie einen Säugling. Aber das Ereignis war nicht anders. Ich sah ihn scheinbar in ein sehr tiefes Loch fallen. Und ich konnte ihn scheinbar nicht daran hindern, zu fallen ...

Sein Gesicht war so ernst wie ein Zahnschmerz.

»Ich habe dein Schaf. Und ich habe eine Kiste für das Schaf. Und ich habe einen Maulkorb für das Schaf ...«

Dann versuchte er ein wenig zu lächeln.

Ich wartete lange. Ich konnte fühlen, wie er immer wärmer wurde:

»Kleines Männchen, du hast sicher Angst ...«

Ich wusste, dass er Angst hatte. Aber er lächelte ein wenig:

»Ich weiß, dass ich heute Nacht sehr viel Angst haben werde ...«

Sobald ich erkannte, dass mir ein Ereignis bevorstand, das ich nicht verhindern konnte, erschreckte mich die Situation sehr. Als ich darüber nachdachte, dass ich dieses Lachen nie wieder hören könnte, wurde ich traurig. Ich erkannte, dass ich diese Idee nicht akzeptieren konnte. Für mich war seine lachende Stimme wie ein Brunnen in der Wüste.

»Kleines Männchen, ich will dich lachen hören ...«

Aber er sagte zu mir:

»Heute Abend ist es ein Jahr. Vor einem Jahr bin ich hier abgestürzt und heute ist mein Stern wieder direkt über diesem Ort ...«

»Kleines Männchen ... akzeptierst du, dass du die Geschichte mit der Schlange, dem Vertrag und dem Stern vielleicht nur geträumt hast?«

Aber er antwortete nicht auf das, was ich gefragt hatte.

Er sagte: »Was wichtig ist, sieht man nicht ...«

»Natürlich ...«

»Es ist wie mit der Blume. Wenn du eine Blume liebst, die auf einem Stern lebt, dann ist es ein schönes Ereignis, den nächtlichen Himmel zu beobachten. Die Blumen bedecken alle Sterne.«

»... net Sov.«

»bIQ rur 'oH. chotlhutlhmoHDI', vaj QoQ rur wanI', gho tlhegh je ... Daqawbej ... QaQ wanI', qar'a'?«

»... net Sov.«

»qaStaHvIS ram Hovmey Dabej. 'oH 'angmeH, tlhoy mach juHwIj. qaqbej. Hovmey botlhDaq wa' Hov neH 'oH HovwIj'e'. vaj Hoch Hovmey Dabej 'e' DatIv ... juppu'lI' moj Hoch. ngugh SoHvaD vay' vInobqang ...«

HaghtaH.

»toH! loDHom, loDHom! bIHagh 'e' vItIv!«

»vaj nobwIj 'oHbej ... bIQ rurbej 'oH ...«

»nuq Dajatlh DaneH?«

»Hovmey ghaj Humanpu', 'ach nIbbe' bIH. lengwI'pu'vaD, DevwI' bIH Hovmey'e'. latlhpu'vaD pagh lu'oS, chaHvaD wovmoHwI'Hommey neH bIH. 'ej latlh latlhpu'vaD, HanwI'vaD qay'wI' bIH. SuywI'vaD qol'om lu'oS. 'ach tamtaH Hoch Hovmeyvam. 'ach SoH'e', Hovmey'e' ghajbe'bogh vay' Daghajbej SoH ...«

»nuq Dajatlh DaneH?«

»qaStaHvIS ram chal Dabejchugh, vaj Haghlaw' Hoch Hovmey, wa' Hov vIDabmo' jIH. wa' HovDaq jIHaghmo', HaghlaHbogh Hovmey Daghaj SoH neH!«

'ej Haghqa'.

»'ej bI'IQHa''eghmoHta'DI' (reH 'IQHa'moHlu'), choqIHpu'mo' bIQuchbej. jupwI' SoH, reH taHbej. nItebHa' maHagh DaneHbej. 'ej chaq rut Qorwagh DapoSmoH, 'oH DapoSmoH DaneH neH, DubelmoHmo' ... ghIq chalDaq bIleghDI' bIHagh 'e' bejchugh juppu'lI', vaj mISbej chaH. ngugh chaHvaD bIjatlh: teH, reH muHaghmoH Hovmey! vaj bImaw' 'e' luHar chaH. jIHmo' maw'wI' DaDabej, qatojmo' ...«

»Natürlich ...«

»Es ist wie das Wasser. Wenn du mir zu Trinken gibst, dann ist das Ereignis wie Musik, wie die Winde und das Seil ... Du erinnerst dich sicher ... Es war schön, nicht wahr?«

»Natürlich ...«

»Nachts beobachtest du die Sterne. Mein Zuhause ist zu klein, um es dir zu zeigen. Es ist sicher besser so. Mein Stern ist nur ein Stern mitten in den Sternen. Wenn du also alle Sterne beobachtest ... werden sie alle zu deinen Freunden. Zu dem Zeitpunkt werde ich dir etwas schenken ...«

Er lachte weiter.

»Ach! Männlein, Männlein! Ich genieße es, wenn du lachst!«

»Dann ist dies mein Geschenk ... Es ist wie Wasser ...«

»Was willst du sagen?«

»Die Menschen besitzen Sterne, aber sie sind nicht identisch. Für die Reisenden sind die Sterne Führer. Für die anderen bedeuten sie nichts. Für sie sind sie nur kleine Lichter. Und für die anderen Anderen, für die Gelehrten, sind sie Problememacher. Für meinen Geschäftsmann repräsentieren sie Gold. Aber alle diese Sterne bleiben leise. Aber du, du besitzt sicherlich jene Sterne, die niemand besitzt ...«

»Was willst du sagen?«

»Wenn du während der Nacht den Himmel beobachtest, dann lachen scheinbar alle Sterne, da ich einen Stern bewohne, weil ich auf einem Stern lache. Du besitzt nur die Sterne, die lachen können!«

Und er lachte wieder.

»Und wenn du dich getröstet hast (man tröstet sich immer), wirst du froh sein, dass du mich getroffen hattest. Ich bin dein Freund und werde es immer sein. Du wirst sicher mit mir lachen wollen. Und vielleicht wirst du manchmal das Fenster öffnen, einfach nur, weil du es öffnen möchtest, weil es dir Spaß macht ... dann wirst du zum Himmel schauen und lachen, und falls dich deine Freunde dabei beobachten, werden sie sicher verwirrt sein. Dann wirst du zu ihnen sagen: Es ist wahr, die Sterne bringen mich immer zum Lachen! Dann werden sie glauben, dass du verrückt bist. Du wirst dich wegen mir wie ein Verrückter aufführen, da ich dich reingelegt habe ...«

'ej Hagh.

»ghu' net Delchugh, Hoch Hovmey vItammeH SoHvaD HaghlaHbogh baS 'InHommey law' qanobta'law' ...«

'ej HaghtaH. ghIq SaghchoH:

»qaSbe' ... Dayaj'a'? ... qaSbe' ramvam.«

»qalonqangbe'bej.«

'ach rejmorghna' Daba'.

»SoHvaD vIja' ... gharghmo'. Duchop vIneHbe' ... qab gharghmey. chop 'e' tIvlaH ...«

»qalonqangbe'bej.«

'ach ghaH jotmoH vay':

»teHbej, cha'logh chopmeH tar lughajbe' ...«

qaStaHvIS ram mejta' 'e' vIleghbe'. narghtaHvIS tamchu'. ghaH vISamDI', 'ej vIcholDI', nom yItchu'. Saghbej lengDaj.

jatlh neH: »toH, naDev SoHtaH ...«

ghIq ghopwIj 'uchchoH. 'ach ghaH 'oy'moHlaw' ghu':

»bIlughpu'. Du'oy'moHbej. jIHeghpu' net Har, 'ach teHbe' ...«

Und er lachte.

»Wenn man die Situation beschreibt, habe ich dir scheinbar viele lachende Glöckchen gegeben, um alle Sterne zu ersetzen ...«

Und er lachte noch immer. Dann wurde er wieder ernst:

»Sie passiert nicht ... verstehst du das? ... Diese Nacht passiert nicht.«

»Ich bin sicher nicht bereit, dich aufzugeben.«

Aber er war sehr pessimistisch.

»Ich sage es dir ... wegen der Schlange. Ich will nicht, dass sie dich beißt ... Schlangen sind böse. Sie beißen gerne ...«

»Ich bin sicher nicht bereit, dich aufzugeben.«

Aber etwas beunruhigte ihn:

»Das ist sicher wahr, aber sie haben kein Gift, um zweimal zu beißen ...«

Ich bemerkte nicht, wie er nachts davonschlich. Er war sehr leise, als er entkam. Als ich ihn wiederfand und mich ihm näherte, schritt er schnell voran. Seine Reise schien sehr ernst.

Er sagte nur: »Ach, da bist du ...«

Dann griff er meine Hand. Aber die Situation schien ihn zu schmerzen:

»Du hattest Recht. Es wird dir Schmerz bereiten. Man glaubt, ich sei gestorben, aber es ist nicht wahr ...«

jItamtaH.

»bIyajba'. tlhoy Hopqu'. pa' porghvam vIqemlaHbe'. tlhoy 'ugh 'oH.«

jItamtaH.

»'ach pa' ratlhtaHvIS, Som chIm rur. qanbogh Som chImmo' 'IQnISlu'be' ...«

jItamtaH.

loQ yoHHa'choHlaw'. 'ach HoStaH 'e' nID:

»qaja'qu': Dunbej wanI'. Hovmey vIbej je jIH. Daqrabmey qan bIHbej Hoch Hovmey'e'. mutlhutlhmoH Hoch Hovmey ...«

jItamtaH.

Ich schwieg.

»Du verstehst offenbar. Es ist zu weit. Ich kann den Körper nicht dorthin mitnehmen. Er ist zu schwer. «

Ich schwieg.

»Aber wenn er da liegen bleibt, ist er wie eine leere Hülle. Man muss nicht wegen einer alten Hülle traurig sein ...«

Ich schwieg.

Er schien etwas den Mut zu verlieren. Aber er versuchte stark zu bleiben:

»Ich sage es dir: Dieses Ereignis wird sicher großartig. Auch ich werde die Sterne anschauen. Alle Sterne sind wie alte Brunnen. Alle Sterne werden mir zu trinken geben ...«

Ich schwieg.

»tlhaQbej! vaghvatlh 'uy' baS 'InHommey Daghaj SoH, 'ej vaghvatlh 'uy' Daqrab vIghaj jIH ...«

'ej tam je ghaH, SaQmo' ...

»pa' 'oHtaH. nIteb mIwvam vItagh 'e' yIchaw'.

ghIq ba', ghaH ghIjmo' ghu'.

'ej jatlh:

»bISovbej ... 'InSongwIj ... 'oH vISaHnIS! pujqu' ghaH jay'! 'ej puq rur ghaH. loS DuQwI' ghaj, 'ach qo' jeymeH lo'laHbe' bIH ...«

jIba', jIQamlaHqu'taHbe'mo'.

jatlh:

»naDev ... Hoch 'oH ...«

loQ baw'Ha', 'ach ghIq QamchoH. yIt. jIvIHlaHbe'.

ngIbDajDaq wovbogh pe'bIl SuD neH leghlu'. qaStaHvIS lup taDlaw'. jachbe'. QIt pum, por rur. Do'olDaq pumDI', chuSbe' wanI'.

cha'maH Soch

'ej DaH Dorba' jav DISmey ... not lutvam vIja'pu'. jIyIntaHmo' Quchqu' mughomqa'bogh juppu'wI'. jI'IQpu', 'ach chaHvaD jIja': jIDoy'mo' ...

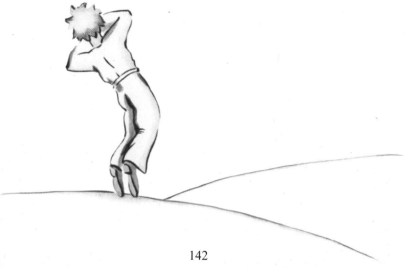

142

»Das ist sicher lustig! Du wirst fünfhundert Millionen Sterne haben und ich werde fünfhundert Millionen Brunnen haben, ...«

Und er wurde auch leise, weil er weinte ...

»Dort ist es. Lass mich diesen Schritt alleine tun.«

Dann setzte er sich, weil ihn die Situation erschreckte.

Und er sagte:

»Du weißt sicher ... meine Blume ... Ich muss mich um sie kümmern! Sie ist verdammt schwach! Und sie ist wie ein Kind. Sie hat vier Dornen, aber diese sind nicht sehr nützlich, um sich gegen die Welt zu verteidigen ...«

Ich setzte mich, weil ich nicht mehr stehen konnte.

Er sagte:

»Hier ... Das ist alles ...«

Er fühlte sich ein wenig unsicher, aber dann stand er auf. Er ging. Ich konnte mich nicht bewegen.

An seinem Knöchel war nur ein heller gelber Blitz zu sehen. Während einiger Sekunden war er wie gefroren. Er schrie nicht. Er fiel langsam nieder, wie ein Blatt. Das Ereignis war nicht laut, als er in den Sand fiel.

XXVII

Und jetzt sind offenbar sechs Jahre vergangen ... Ich habe diese Geschichte nie erzählt. Meine Freunde, die mich wiedergetroffen haben, sind sehr froh, dass ich noch lebe. Ich war sehr traurig gewesen, auch ich sagte zu ihnen: Weil ich müde war ...

DaH jI'IQHa"eghmoHta'. 'ach chaq ... wej Qap. 'ach yuQDajDaq cheghta' ghaH 'e' vISovbej, qaSpu'DI' jaj veb porghDaj vISambe'mo'. porgh 'ugh 'oHbe'bej ... 'ej qaStaHvIS ram Hovmey vI'Ij 'e' vItIv. vaghvatlh 'uy' baS 'InHommey rurqu' ...

'ach DaH qaS wanI' motlhHa'.

ta'puq machvaD nuj mo'Hom vIwevDI', 'oH vIQeymoHmeH qogh vIwevta' 'e' vIllIj! vaj not DI'raqDajDaq 'oH lanlaHchu'.

vaj DaH jISIv: yuQDaq qaSpu' nuq? chaq 'InSong Sopta' DI'raq ...

wa'logh jIja"egh: qaSbe'bej! 'InSongDaj QanmeH, Hoch ram 'oH DungDaq 'al'on moQbID lan, 'ej DI'raqDaj buSqu'. ghIq jIQuch. 'ej loQ HaghtaH Hovmey.

'ach DaH jIQub: rut mIS vay', 'ej yapbej. vaj chaq wa' ram 'al'on moQbID lIj, chaq narghta' DI'raq ... ghIq SaQwI' bIQHommey moj Hoch baS 'InHommey ...

peghna' 'oHbejtaHqu'. tlhIHvaD, jIHvaD je, ta'puq mach wImuSHa'mo', Qatlhbej ghu' 'ej not majotlaHtaH, DaqDaq Sovbe'bogh vay' ro'Sa' Sopta' pagh Sopbe' DI'raq'e' Sovbe'lu'bogh ...

chal yIbej 'ej yISIv: 'InSong Sopta"a', pagh 'oH Sopta'be"a' DI'raq? HISlaH ghobe' ghap. 'ej choH Hoch 'e' botlhojbej ...

'ach potlhqu' ngoDvam not 'e' yajchoHlaH wa' nenwI'.

144

Jetzt hatte ich mich getröstet. Aber vielleicht ... klappt es noch nicht. Aber ich wusste, dass er zu seinem Planeten zurückgekehrt war, denn am nächsten Morgen fand ich seinen Körper nicht wieder. Es war kein schwerer Körper ... Und ich genoss es, während der Nacht den Sternen zuzuhören. Sie ähneln fünfhundert Millionen Glöckchen ...

Aber jetzt passiert ein ungewöhnliches Ereignis.

Als ich dem kleinen Prinzen den Maulkorb zeichnete, hatte ich vergessen, einen Gurt daran zu zeichnen! Also kann er es seinem Schaf niemals richtig anziehen.

Also frage ich mich jetzt: Was ist auf dem Planeten passiert? Vielleicht hat das Schaf die Blume gefressen?

Einmal sage ich mir: Es passiert sicher nicht! Er stülpt jeden Abend eine Glocke über seine Blume, um sie zu beschützen und er achtet gut auf das Schaf. Danach bin ich glücklich. Und die Sterne lachen ein wenig.

Aber jetzt denke ich: manchmal ist jemand verwirrt und das genügt sicherlich. Also vergisst er vielleicht eines Abends seine Glasglocke, vielleicht entkommt das Schaf ... Dann werden alle Glöckchen zu Tränen ...

Es bleibt sicherlich ein Geheimnis. Für euch und für mich, weil wir den kleinen Prinzen lieben, ist die Situation sicher schwierig und wir werden nie dauerhaft ruhig bleiben können, wenn an einem Ort, den niemand kennt, ein unbekanntes Schaf eine Rose gefressen hat oder nicht gefressen hat ...

Schaut euch den Himmel an und überlegt euch: Hat das Schaf die Rose gefressen, oder hat sie sie nicht gefressen? Ja oder nein? Und ihr werdet sicherlich feststellen, dass sich alles ändert ...

Aber kein Erwachsener wird jemals begreifen, dass diese Sache wichtig ist.

jIHvaD Hatlhvam 'IH law' Hoch 'IH puS, 'ej
'oH 'IQ law' Hoch 'IQ puS. nav QavHa'Daq
'anglu'bogh Hatlh rur Hatlhvam, 'ach naDev
vIcha'qa' vaj 'oH boleghlaHchu'. tera'Daq naDev
pawta' 'ej mejta' ta'puq mach.

Hatlhvam yIbejchu', vaj chaq 'avrI'qa'
DebDaq SulengDI', 'oH boghovlaHchu'. 'ej bong
pa' Supaw'chugh, pemoDQo'. Saqoy' – peloS,
Hov bIngDaq peratlh. pa' lIghoSchugh puq;
monbogh, qol'om rurbogh jIb ghajbogh, 'ej
jangbe'bogh puq, vaj puqvetlh boghovbej vaj
jI'IQtaH 'e' yIchaw'Qo' 'e' vItlhob: nom QIn
yIngeH, cheghDI' ghaH ...

Für mich ist diese Landschaft die schönste von allen, und sie ist die traurigste von allen. Sie ähnelt der Zeichnung von der vorletzten Seite, aber hier habe ich sie nochmal gezeichnet, um sie euch zu zeigen. Hier ist der kleine Prinz auf der Erde gelandet und wieder gegangen.

Schaut euch diese Landschaft genau an, denn falls ihr irgendwann mal in Afrika reisen solltet, werdet ihr sie vielleicht erkennen. Und falls ihr dort zufällig ankommt, dann eilt nicht. Ich flehe euch an – wartet, bleibt unter dem Stern stehen. Falls dort ein Kind auf euch zukommt, lächelnd, mit Haaren wie Gold, das euch nicht antwortet, dann werdet ihr dieses Kind erkennen und lasst es nicht zu, dass ich traurig bin, sondern sendet mir schnell eine Nachricht, dass er zurückgekehrt ist ...

Anhang

Eine Geschichte wie *Der kleine Prinz* in **tlhIngan Hol** zu übersetzen ist weitaus schwieriger als in jede andere Sprache. Die Besonderheit hierbei ist, dass Klingonisch immer sehr kurz gefasst wird, und nicht die Variabilität im Wortschatz besitzt, wie das französische Original oder die deutsche Sprache. So ist es zum Beispiel im Klingonischen ganz üblich, dass sich Wörter in einem Satz wiederholen, da es einfach nur einen Begriff für etwas gibt, für das es im Deutschen vielleicht zwei oder drei geben könnte.

Zum Inhalt: Diese Übersetzung von *Der kleine Prinz* hält sich sehr streng an das Original. Hierbei wurde die Geschichte bewusst nicht in eine klingonische Umgebung gesetzt, so wie es beim klingonischen *Hamlet* der Fall gewesen ist, bei dem die Geschehnisse auf der klingonischen Heimatwelt Q'onoS stattfinden.

Statdessen wurde *Der kleine Prinz* so übersetzt, wie man den Text für einen klingonischen Besucher schreiben würde. Die Geschichte und die darin vorkommenden Personen werden so wie im französischen Original beschrieben, damit der Sinn und die Art der Geschichte nicht verfälscht werden.

Selbstverständlich müssen bei einer Übersetzung wie bei jeder anderen Sprache auch manche Redewendungen angepasst werden. Auch gibt es hier und da Begriffe, die dem klingonischen Gebrauch entsprechen. Das beste Beispiel dafür ist, da es kein klingonisches Wort für »Hallo« gibt, dieses konsequent mit **nuqneH** übersetzt wird, was eigentlich *was willst du?* heißt.

Einige der Begriffe konnten nicht direkt übersetzt werden, daher wurden an sehr wenigen Stellen die Wörter einfach mit anderen Begriffen ersetzt oder in ihrer Bedeutung gedehnt, solange es für die Geschichte nicht wirklich relevant erschien.

Die erste und vermutlich schwierigste Aufgabe bei der Übersetzung war die des Titels. Da es kein offizielles Wort für »Prinz« gibt, musste man eines aus bestehenden Begriffen zusammenbauen, und da gibt es immer mehrere Wege, um das Ziel zu erreichen. In der Anfangsphase meiner Übersetzungsarbeit neigte ich dazu, das Werk mit **ta'Hom mach** *(»kleines Kaiserchen«)*

zu bezeichnen, wobei ich die Nachsilbe **-Hom** verwendete, um die »Kleinheit« und Naivität des Prinzen zu betonen. Nach langen Überlegungen entschied ich mich aber dafür, dem Beispiel aus dem *Klingonischen Hamlet* zu folgen, wo der »Prinz von Dänemark« als **Qo'noS ta'puq** übersetzt wurde. Auch hier hätte ich die Nachsilbe **-Hom** anhängen können, entschied mich aber stattdessen für das Wort **mach** *klein sein*, so wie es im Original ja auch »kleiner Prinz« heißt, und nicht »Prinzchen« oder »Prinzlein.« Darüber hinaus hat die **-Hom**-Nachsilbe nicht nur die Bedeutung von Größe, sondern trägt auch eine Note der Abwertung mit sich. Das Wort **mach** hingegen bezieht sich lediglich auf die körperliche Größe.

Im Gespräch mit Maltz stellte sich heraus, dass ihm nicht klar war, von welcher Sorte Prinz hier die Rede war, denn es gibt diverse Definitionen für diesen Begriff. Er stimmte aber zu, dass es in dieser Geschichte im Endeffekt unwichtig war. Der gewählte Begriff ist einfach die Bezeichnung für diese Person in der Geschichte, und ist unabhängig davon, wie man einen Prinzen oder Regenten auf Klingonisch bezeichnen würde.

Gedehnte Begriffe

Es gibt auch sehr viele andere Wörter, die man nicht so direkt übersetzen kann. Viele der gewählten klingonischen Alternativen passen inhaltlich sehr gut ohne die Geschichte zu ändern, sind aber dennoch nicht als wörtliche Übersetzung zu verstehen.

Umgekehrt ist eine wörtliche Übersetzung auch nicht immer ideal. Zum Beispiel entschied ich mich, »*die Menschen*« mit **nuvpu'** zu übersetzen, was eigentlich eher sowas wie »Personen« bedeutet. Der im Originaltext verwendete Begriff – *les hommes* – hat im Französischen die Bedeutung »Männer« und auch »Leute, Menschen.« In der deutschen Übersetzung wird dafür der Begriff »*Menschen*« gebraucht, aber wenn ich dafür die tatsächlich direkte Übersetzung gewählt hätte, würde es so aussehen, als spräche eine Gruppe von Außerirdischen über **Humanpu'**.

ghargh – Viele kennen und nutzen dieses Wort nur in der Bedeutung eines Wurms, aber da es eindeutig als *Schlange, Wurm* definiert ist, wurde es hier auch für die Schlange verwendet. Im Gegensatz wurde für die Boa das Wort **ghargh'a'** verwendet, wörtlich *Riesenschlange*. Da in der gesamten Geschichte keine Würmer vorkommen, ist dies sicher nicht irreführend.

ghom – *Gruppe*. Dies ist kein besonderes Wort, wurde aber in der Formulierung **lengbogh ghom** »reisende Gruppe« ein wenig zweckentfremdet um die Idee einer »Karawane« zu beschreiben. Ich hatte hier zuerst an **yo'** *Flotte* gedacht, aber Maltz erklärte mir, dass **yo'** nur für eine Flotte von Schiffen verwendet würde, nicht aber einer Gruppe von Menschen. Der Unterschied ist, dass eine yo' nach einer Mission zu ihrer Basis zurückkehrt, während eine Karawane in der Regel wandert.

leQpIn – Wörtlich *Schalter-Meister* wird dieses Wort für den Weichensteller benutzt. Dies ist kein offizielles Wort, vermittelt die Idee aber ganz gut.

loHwI' – Dieses Nomen basiert auf dem Verb **loH** *verwalten* und wird als Übersetzung für »Minister« verwendet. Auf dem ersten Blick könnte man sagen, dass die englische Bedeutung *administer* hier zu einem *faux-ami* geführt hat, aber auf dem zweiten Blick passt »der Verwalter« sehr gut in die Geschichte.

QuQ HuH – Wörtlich ist dies *Maschinen-Schleim* und wird in der Geschichte für Öl verwendet. Wir wissen zu diesem Zeitpunkt nicht, ob es ein eigenes Wort für Öl gibt. Maltz sagte aber gleich, dass man das Wort **tlhagh** *Fett* in diesem Zusammenhang nicht benutzen könne, weil dieses nur tierisches Fett bedeutet (außer natürlich, wenn die Maschine tierisches Fett verwendet). Er fügte hinzu, dass obwohl **HuH** als *Schleim* oder *Gallenflüssigkeit* definiert wurde, es generell für jede Sorte schleimiger Flüssigkeit verwendet werden kann.

nuj mo' – Diese Nomen-Nomen-Konstruktion ist nicht kanonisch, kann aber sinngemäß als *Mund-Käfig* übersetzt werden, was der Bedeutung eines Maulkorbs sehr nahe kommt.

qItbe' – Wir kennen kein klingonisches Wort für Huhn, aber man kann sicher davon ausgehen, dass ein Fuchs auch gerne ein **qItbe'** jagen würde, einen Vogel, der als »klein, dick und plump« beschrieben wird und nicht fliegen kann.

voDleH – Da wir kein passendes Wort für König kennen, wurde hier schlichtweg das Wort für *Kaiser* verwendet.

Neue Vokabeln von Maltz

Als Marc Okrand, der Entwickler der klingonischen Sprache, erfuhr, dass dieses Projekt an die Grenzen des Vokabulars stieß, stimmte er zu, mit seinem klingonischen Informanten Maltz zu sprechen. Zu unserem Glück war Maltz sehr gesprächig und lieferte uns einige wirklich sehr nützliche Begriffe.

bewbeb – *Affenbrotbaum*. Dies ist eine sehr eigene Art von Baum auf der Erde, daher haben die Klingonen das Wort aus dem Englischen geliehen. Maltz hatte noch nie davon gehört und fand, dass diese Bäume sehr seltsam aussehen.

Daqrab – *Brunnen*. Wird normalerweise für einen Wasser-Brunnen verwendet, kann aber auch für eine Ölquelle verwendet werden, aus welcher nach Öl gebohrt wird (angenommen, Klingonen bohren nach Öl). Falls man unterscheiden möchte, sagt man **bIQ Daqrab**. »Quelle« ist kein Teil der Definition, ein **Daqrab** ist immer gebaut, gebohrt oder gegraben worden.

DISjaj – *Jahrestag*. Maltz sagte, es gäbe verschiedene Methoden, um auf ein sich wiederholendes Ereignis bzw. dessen Tag zu beziehen. Die dabei betrachtete »Zeitspanne« kann ein ganzes Jahr sein (der klassische »Jahrestag«), aber es könnte auch eine andere Zeiteinheit sein: ein Monat oder eine Woche.

DISjaj
Jahrestag, gemessen in Jahren

jarjaj
Monatstag, gemessen in Monaten
(z. B. drei-monatiges Jubiläum seit Antritt eines neuen Jobs)

Hoghjaj
Wochen-Jubiläum, gemessen in Wochen (wenn zum Beispiel jemand feiert, dass er seit zwei Wochen nicht mehr raucht)

Ein einjähriges Jubiläum wäre also **DISjaj wa'** oder **DISjaj wa'DIch** (Maltz sah dabei keinen Unterschied). Undsoweiter. Maltz sagte, er habe Ausdrücke wie **tupjaj** gehört, was wohl eine Art Minuten-Jubiläum sein müsste – vielleicht so wie wenn jemand es geschafft hat, 10 Minuten lang nicht zu sprechen. Er fügte aber hinzu, dass man dies eher als Wortspiel betrachte, denn es sei kein richtiges Wort, obwohl manche es so benutzen.

DI'raq – *Schaf*. Es existiert ein flauschiges, wolliges, zotteliges Klingonisches Tier, welches **DI'raq** genannt wird, und einem Schaf sehr ähnelt. Um es davon zu unterscheiden, sagt man am besten tera' DI'raq. Ein männliches Schaf, also ein Widder, nennt man **DI'raq loD**. Dies besteht aus zwei Wörtern. Familienbegriffe (wie **puqloD** und **lorloD**) sind feste Begriffe, die zum Standard-Wortschatz gehören. Bei Tieren hat Klingonisch keine besonderen Wörter für männliche und weibliche Tiere.

Während man im Deutschen also *Widder* (männlich), *Zibbe* (weiblich), und *Schaf* (allgemein) sagt, gibt es im Klingonischen nur ein Wort für *Schaf* – aber kein eigenes Wort für *Widder* oder *Zibbe*. Falls es wirklich erforderlich ist, das Geschlecht zu unterscheiden- verwendet man einfach die Nomen-Nomen-Konstruktion.

Hovtej – *Astronom* / **HovQeD** – *Astronomie*

Hov tut – *Teleskop*. Maltz sagte, dass das geläufigste Wort um ein Teleskop zu benennen, das Wort **Hov tut** ist. Er dachte, dass dies ein sehr alltäglicher oder laienhafter Ausdruck ist – vielleicht sogar umgangssprachlich – und, dass die Astronomen dafür vielleicht sogar ein anderes Wort kennen ... Aber er konnte sich daran nicht erinnern.

moQbID – *Glocke*. Wörtlich übersetzt ist dies eine »Kugel-Hälfte« oder »Halbkugel« und wird in der Geschichte wie eine Käse-Glocke verwendet, um über etwas gestülpt zu werden.

pu' – *Horn.* Das Horn eines Tieres ist dasselbe Wort wie für eine Stiefelspitze (oder Spitze im Allgemeinen). Wenn man es verdeutlichen möchte, sagt man **Ha'DIbaH pu'** oder **DI'raq loD pu'**. Die Mehrzahl von **pu'** ist entweder **pu'mey** oder **pu'Du'**, je nachdem, was die genaue Bedeutung von **pu'** ist.

qargh – *wuchtig sein, dick sein.*

qeSHoS – *Fuchs.* Ein klingonisches Tier, das einem Hund ähnelt. Es ernährt sich von Pflanzen, aber gelegentlich auch von kleinen Tieren und Vögeln. Klingonen könnten diese auch essen, betrachten sie aber meistens als eine Plage.

quntej – *Historiker* / **qunQeD** – *Geschichte*

ro'Sa' – *Rose (irdische Blume).* Da es kein klingonisches Äquivalent für diese Blume gibt, wird hier nur die Aussprache der Blume im Föderationsstandard verwendet.

SaHa'ra' – *Sahara (Wüste der Erde).* Im Arabischen wird die Wüste *aṣ-ṣaḥrā' al-kubrá* genannt, was wörtlich »die große Wüste« heißt. Würde das klingonische Wort davon abstammen, würde es wohl so ähnlich klingen. Aber Maltz sagte, dass die Klingonen diesen Namen aus dem Föderations-Standard gelernt hatten, daher sagen sie **SaHa'ra'**.

Su'wan ghew – *Schmetterling.* Dies ist sicher nicht die beste Übersetzung für dieses Tier, aber Maltz sagte, dass ihm dieses Tier als erstes einfiel, welches ein großes Insekt mit sehr großen Flügeln sei.

tom – *kippen, neigen.* Zum Beispiel den Kopf.
Dieses Verb kann man für alles benutzen, das sich von gerade zu schräg neigt. Dabei ist zu beachten, dass dieses Verb kein Objekt nimmt, d. h. wenn man sagt, dass man etwas kippt, heißt es **tommoH**.

tlhegh jIrmoHwI' – *Seilwinde* (wörtlich: *Seil-Dreher*)

wev – *skizzieren, kritzeln.* Das Objekt dieses Verbes ist die Zeichnung, die entsteht. Der Gedanke dabei ist, dass es eine schnelle, unsaubere Skizze ist, und keine sorgfältige.

yItlhHa' – *nachsichtig sein.* Dieses Wort kommt von **yItlh** *streng, strikt, autoritär sein.*

yuQtej – *Geograph* / **yuQtej** – *Geographie.* Die Bedeutung von **yuQ** hat sich offensichtlich über die Zeit verändert. Heute heißt es *Planet*, aber früher hat es wohl etwas anderes bedeutet, so wie *Ort/Platz an dem wir leben.*

'ughDuq ghargh – *Raupe.* Maltz sagte, dies sei ein kleines wackelndes Tierchen, das sich irgendwie in ein **Su'wan ghew** verwandeln würde. Dieses **'ughDuq ghargh** wird übrigens nicht verwendet, um **qagh** herzustellen.

Rechtliche Hinweise

Da der Autor von *Le Petit Prince*, Antoine de Saint-Exupéry, vor über 70 Jahren verstorben ist, unterliegt der Text von *Der kleine Prinz* nicht mehr dem Urheberrecht, außer in Frankreich, wo das Urheberrecht wegen besonderer Umstände um 30 Jahre verlängert wurde.

Alle enthaltenen Zeichnungen wurden vom Original-Autor erstellt, und werden basierend auf dem selben Urheberrechtsgesetz verwendet.

Die klingonische Sprache wurde 1984 im Auftrag von Paramount Pictures durch Marc Okrand für den Film *Star Trek III: Auf der Suche nach Spock* entwickelt und wird in den Werken *Das Offizielle Wörterbuch, Die Ehre der Klingonen* und *Klingonisch für Fortgeschrittene* detailliert erklärt. Dieses vorliegende Werk enthält zudem viele Vokabeln, die später erschienen sind, vor allem in den Veröffentlichungen des KLI und dem Übungsheft des Klingonischkurses Saarbrücken. Einige Wörter wurden speziell für dieses Übersetzungsprojekt erschaffen.

Klingon™ und *Star Trek*™ sind eingetragene Markenzeichen von CBS Studios Inc. Dieses Werk wird nicht im Namen von *Star Trek* publiziert. Diese Übersetzung dient lediglich der linguistischen Fortbildung für Interessenten der klingonischen Sprache. Diese Geschichte hat keinen Bezug zu *Star Trek*. Es ist keine Urheberrechtsverletzung beabsichtigt.

Im Sommer 2018

Der Übersetzer

Lieven L. Litaer ist gebürtiger Belgier, er lebt in Deutschland und spricht als einer von wenigen Menschen weltweit fließend Klingonisch.

Als großer Fan von *Star Trek* begann er bereits im Jahr 1995 mit dem Studium der Sprache und fand darin aufgrund seines Sprachtalents schnell ein gutes Grundwissen. Sein gutes Sprachgefühl für das Klingonische brachte ihn im Jahr 2000 zur ehrenvollen Aufgabe des Anfänger-Betreuers in der Mailingliste des KLI. Ein Jahr später organisierte er das bis heute einzige Jahrestreffen des KLI, das jemals außerhalb der USA stattgefunden hatte.

In den folgenden Jahren gründete er sein eigenes Sprachtreffen, welches heute zum weltweit größten Klingonischkurs herangewachsen ist. Zwischendurch ist er immer wieder an kleinen und großen Übersetzungsprojekten involviert, so wie Internetseiten, Software, Musikgruppen und sogar einer Oper. Nach der Gründung seines YouTube-Kanals in 2011 erreichte er weltweite Bekanntheit als *Klingon Teacher from Germany*. 2013 überarbeitete er *Das Offizielle Wörterbuch Deutsch/Klingonisch* und veröffentlichte 2017 das allererste Übungsbuch *Klingonisch für Einsteiger*.

Über das Jahr hinweg reist Lieven L. Litaer durch das Land und unterrichtet Klingonisch auf Conventions und an Universitäten. Seine letzte große Leistung war das Erstellen von klingonischen Untertiteln für die erste Staffel von *Star Trek: Discovery* in 2017, welche weltweit abrufbar sind.

Lieven L. Litaer ist seit 2008 verheiratet und lebt mit seiner Ehefrau und Tochter in Saarbrücken.

ES LEBE STAR TREK

Ein Phänomen, zwei Leben

Endlich gibt es wieder ein umfassendes Sachbuch über das Star-Trek-Phänomen. Für alle Trekkies und die, die es noch werden wollen!

Der Weltraum, unendliche Weiten! Seit mehr als fünfzig Jahren begeistert das Star-Trek-Franchise Millionen von Menschen weltweit. Die Liebe zu den Figuren, ihren Geschichten und dem utopischen Weltbild hat viele inspiriert. Angefangen mit den Abenteuern des Captain Kirk über Picard, Sisko, Janeway und Archer hat sich Star Trek eine treue und engagierte Fanbase erarbeitet. Die erfolgreichen Reboot-Kinofilme des J. J. Abrams sorgen seit 2009 für ebenso viel Diskussionsstoff wie die jüngst gestartete Fernsehserie Star Trek: Discovery. Nach über 52 Jahren zeigt sich das Franchise somit immer noch topfit und durchlebt aktuell einen weiteren Frühling.

ISBN: 978-3959361057

www.ifub-verlag.de

KLINGONEN
BEI CROSS CULT

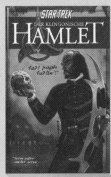

Der klingonische Hamlet
ISBN 978-3-86425-442-0

Klingonische Weihnacht
ISBN 978-3-86425-437-6

Die klingonische Kunst des Krieges
ISBN 978-3-86425-438-3

Star Trek – Prey 1: Das Herz der Hölle
ISBN 978-3-95981-658-8

Überall im gut sortierten Buchhandel und im Onlineshop auf

WWW.CROSS-CULT.DE

KOLONIE 85

Der Aufbruch

2238 – Als erstes bemanntes Langstreckenschiff der Erde ist die Voyager auf einem fünfjährigen Flug nach Proxima Centauri. Beim Einschwenken in die Umlaufbahn des Planeten erwacht die Crew aus ihrem Kälteschlaf. Doch Captain Alexandra Scott, Wissenschaftsoffizier Michael Barnetti, Bordingenieur Arthur Jones und Navigatorin Leandra Thuis ahnen, nicht, was sie erwartet. Die friedliche Forschungs- und Kolonisierungsmission wird zu einem brutalen Überlebenskampf!

ISBN: 978-3959360944

www.ifub-verlag.de